新潮文庫

# オセロー

シェイクスピア
福田恆存訳

新潮社版

2122

# 目次

# オセロー

**場所**　ヴェニス、およびサイプラス島

**人物**

ヴェニス公

ブラバンショー　議官、デズデモーナの父

その他の議官たち

グラシャーノー　ブラバンショーの弟

ロードヴィーコー　ブラバンショーの親戚《しんせき》

オセロー　ヴェニス政府に仕えるムーア人貴族

キャシオー　オセローの副官

イアーゴー　オセローの旗手

ロダリーゴー　ヴェニスの紳士

モンターノー　サイプラス総督、オセローの前任者
道　　化　オセローの従僕
デズデモーナ　ブラバンショーの娘、オセローの妻
エミリア　イアーゴーの妻
ビアンカ　キャシオーの情婦

他に水兵、使者、布告係、役人、紳士、楽士、侍者たち

〔Ⅰ-1〕1

## 〔第一幕 第一場〕

1

ヴェニスの町なか

ロダリーゴーとイアーゴーとが出てくる。

**ロダリーゴー** ふん、問答無益、腹も立とうというものさ。いいかい、きみがだよ、イアーゴー、わが財布とは言いながら、その紐《ひも》はその手に預け放しのそのきみがだ、なんと一部始終をごぞんじだったとはね。

**イアーゴー** とんだ言いがかりだ。どうやらきみには話を聴く気がないとみえる。いいか、たとえ風の便りにもせよ、そうと知っていたとなれば、おおさ、この首をやる。

**ロダリーゴー** きみは奴《やつ》を憎んでいると言っていたじゃないか。

**イアーゴー** おお、憎まずにいられるものか。この町のお歴々が三人、親しく奴に会って、このおれを副官にと頭をさげて頼んでいるのだ。口はばったいが、自分の値打ちは自分で知っている、どう踏んでもそのくらいの地位は当然だ。それを奴は、おのが意地ずく意のままにふるまいたいばかりに、三人を態《てい》よくあしらい、もって廻《まわ》った美辞麗句に軍隊用語をやたら織りまぜての逃げ口上、そして、とどのつまりは、こちらの敗訴、せっかくの口添えもにべなく一蹴《いっしゅう》、「まことの話」と奴の曰《いわ》く「既に副官は任命ずみのことなれば」。ところで、その男が誰だと思う？　いやはや、それが算数の大家、マイケル・キャシオーと名のるフローレンス人、いい女を手に入れて亭主気どりの、今にもおめでたくなりかねない男なのだが、いまだかつて野に出《い》で陣頭に立った経験のないことはもちろん、いざ敵と相対して部隊の配置をどうしたらいいかと言われれば、小娘ほどの智慧《ちえ》もない――あるのはただ本で仕込んだ空理空論、それなら長袖《ながそで》の役人でも結構負けずに弁じたてられようというものさ。単なるお喋《しゃべ》りだけの実践ぬき、軍人としてのやつの身上はそれに尽きるのだ。しかも、そいつが、おい、聴け、大将のお眼鏡にかなったというのだぞ。一方、おれは、奴もその目で十分御覧《ごろう》じたはずだ、ロードス島からサイプラス島、そのほかクリスト教国と否《いな》とを問わず、到《いた》るところで手柄《てがら》をたててきたこのおれは、帳つけ野郎の風下《かざしも》に追いやられ、帆も挙げられず小さくなっていなければならないのだ。算盤《そろばん》野郎め、奴はまんまと副官になりあがり、一方、おれは――おお、神よ、人もあろうに！――ムーア御前の旗持ちだ。

**ロダリーゴー**　それどころか、おれはいっそ奴の首絞め役人になりたい。

イアーゴー　まあ、今さらどうにもしようがあるまい。ここが人に仕える身の辛《つら》さ、昇進はすべて後楯《うしろだて》と依怙《えこ》ひいき、今時古風に年季を楯に、二番目が一番目のあとを継ぐなどと思ったら大間違い。さあ、ひとつ伺おうじゃないか、やっぱりおれは、なんでもかんでもあのムーアに心中だてしなければならない男かどうか。

ロダリーゴー　そんな奴に尾っぽを振る馬鹿《ばか》がいるものか。

イアーゴー　まあさ、お静かに。おれが奴に尾っぽを振っているのは、いずれはお返しをしようという寸法さ。誰も彼もが頭《かしら》になるというわけにはゆかないし、頭という頭が、心から子分に尾っぽを振ってもらうというわけにもゆかない。なるほど忠義一《いち》途《ず》の飛蝗《ばった》野郎というのはどこにもいる。おのが奴隷《どれい》の境涯《きょうがい》にありがたがって身を捧《ささ》げ、傭主《やといぬし》の驢馬《ろば》そっくり、そうして一生を使い果すのはいいが、それもただ飼葉《かいば》ほしさの一念からで、あげくの果ては、老いさらぼうて放《ほう》りだされるのが落ちというわけさ。馬鹿正直もいいかげんにするがいい。そうかと思えば、猫《ねこ》かぶりの忠義面《ちゅうぎづら》、手前の心はもっぱら手前のために取っておくという手合いがいる。主人には精々忠勤ぶりを御覧に入れておいて、絞れるだけ絞り取ろうという算段だ。そうして上着に裏を張り、懐《ふとこ》ろが温かくなりだすと、あとは手前だけをかわいがるというやつさ。こういう手合いには性根がある、それこそ、何を隠そう、かく言うおれ様。なぜと言って、そうだろうが、汝《なんじ》はまさしくロダリーゴー、しかしてその事実に誤りなき以上、もし予をしてかのムーアたらしめば、予はついにイアーゴーたりえざるは明らかなりで、奴に尾っぽを振って見せてはいるものの、つまりはわれとわが身に尾っぽを振っているだけの話。いいか、「知る人ぞ知る」だ、誓って義理人情などのためではない、そう見せかけて、覘《ねら》いはもっぱらわが身の利益さ。正直な話、目に見える行いにこの胸底の心の動きそのままをあらわに出して見せようものなら、それこそ事だ、たちまちにして、心臓を袖に引掛け、烏《からす》につつかせるようなざまになる——おれは見かけとは違った男なのさ。

**ロダリーゴー** まったく果報者だよ、あの厚唇《あつくちびる》め、このままうまくゆこうものならな!

**イアーゴー** 女の親父《おやじ》を叩《たた》き起すのだ。奴を狩り出し追いたてろ。喜びの真最中に毒を浴びせてやれ。事の次第を辻々《つじつじ》に触れまわり、身内の奴らをかっとさせるのだ。奴め、今頃《いまごろ》はぬくぬくと収まっていようが、その肌《はだ》にうんとこさ蠅《はえ》をたからせてやるがいい。それでも奴は結構うれしがっているだろうが、とにかくじっとしていられなくなり、少しでも興ざめの気分を味わわせてやらなければだめだ。

**ロダリーゴー** ここがあの女の親父の家だ、ひとつ大声でどなってやろう。

1〔I-1〕

〔I-1〕1

イアーゴー　さあ、やれ。相手が震えあがるような調子で、いかにも恐ろしげな声を絞り出すのだ、誰も知らない夜中の建てこんだ町なかで、火事を見つけたときのようにな。
ロダリーゴー　やい、おおい、ブラバンショー！　ブラバンショー様、おおい！
イアーゴー　起きろ！　やい、おおい、ブラバンショー！　泥棒《どろぼう》だ！　泥棒！　泥棒！　戸締りに気をつけろ！　お嬢さんにも！　金袋もだ！　泥棒だぞ！　泥棒だ！

ブラバンショーが二階の窓に姿を現わす。

ブラバンショー　どうしたというのだ、仰々しい、いきなり人を呼びたてたりして？　何か起ったのか？
ロダリーゴー　シニョール、お家はみなさんお揃《そろ》いでいらっしゃいますか？
イアーゴー　戸はどこも錠がおろしてありましょうな？
ブラバンショー　え、どうしてそんなことを訊《き》くのだ？
イアーゴー　これはしたり、お邸《やしき》に盗人《ぬすっと》がはいったのですぞ。そのままではまずい、さ、早く上衣《うわぎ》を。それ、あなたの心臓はもう潰《つぶ》れてしまっている。魂もすでに半ばはどこへやら。今も今、劫《こう》を経た黒羊があなたの白羊の上に乗りかかっているのだ。ぐずぐずしてはおられません。鐘をならして町中をいぎたない眠りから醒《さま》してやるのです。さもないと、あの悪魔、お孫さんを造ってしまいますぞ。さあ、早く、早く。

**ブラバンショー**　どうしたのだ、気でも違ったのか？

**ロダリーゴー**　おお、シニョール、この声にお聞きおぼえはございませんか。

**ブラバンショー**　ないぞ、誰だ？

**ロダリーゴー**　ロダリーゴーですよ。

**ブラバンショー**　貴様か、人もあろうに。この家のまわりをうろつくなと言っておいたはずだ。しらふのときに、その耳ではっきり聞いていよう、娘はやらぬと言ったのを。それを今ごろなんというざまだ、夕飯の気ちがい水をたらふく飲んで正気を失い、何か悪どいいたずらでも思いついて、わしの安眠を妨げに来おったのだな。

**ロダリーゴー**　そんな、そんな、そんな――

**ブラバンショー**　よく心得ておくがいい、気力といい地位といい、貴様になめられる覚えはない。今日のこと、いずれ目にもの見せてくれるぞ。

**ロダリーゴー**　申しわけございません。

**ブラバンショー**　盗人がどうのこうのと言っておったが、一体何事だ？　ここはヴェニスだぞ、野中の一つ家《や》ではないわ。

ロダリーゴー　おお、ブラバンショー様、当方、なんの私心、下心がございましょう、ただもう誠心誠意、おためを思って駆けつけましたので。
イアーゴー　これはしたり、あなた様というお方は、神のために奉仕せよとのすすめも、それが悪魔の言葉とあれば、断じて応じぬ手合いの一人とお見うけしました。よろしいか、私どもはあなたのおためを思って駆けつけてまいりました、それをあなたはごろつき呼ばわりなさる、どうやらあなたはお嬢様の上にアフリカ産のバーバリ馬がおっかぶさってくれるのを待っておいでらしい。いずれ次々に孫、曾孫《ひまご》とお出来になって、ひんひんまごまご鼻をこすりつけに来られるのを待とうとおっしゃるのだ。
ブラバンショー　けがらわしい奴め、どこのどいつだ？
イアーゴー　かく申すやつがれは、唯今《ただいま》お嬢様とムーアめとがお揃いで、背中が二つある怪獣ごっこの最中と、ただその御注進役に、ここにこうして。
ブラバンショー　貴様は悪党だ。
イアーゴー　そちらは、議官様。
ブラバンショー　こいつもお前の責任だぞ。お前の方はよく知っているからな、ロダリーゴー。
ロダリーゴー　は、責任はなんでも負うつもりでおります。ただ是非とも御意を得たいことが一つ、もしあれが御自分のお望みから、しかも十分お考えになったうえでのことことおっしゃるなら、いや、どうやらそのようにお見うけしますが、つまり、あの美しいお嬢様の夜遊び、今も今、時もあろうにこの真夜中、供の者と言えば良いも悪いも小僧っ子ひとり、流しのゴンドラの船頭だけ、そうしてあの女たらしのムーアのけがらわしい腕の中に抱きとられようという――それもとうに御承知で、しかもお許しあってのこととおっしゃるなら、それこそ当方のとんだ過ち、さしでがましい御無礼を働いたことになりましょう。しかし、そんなこととは知らなかったとおっしゃるなら、御無礼ならぬ御無理はそちら、当方のふるまい、お叱《しか》りを受ける筋合いではございません。決して誤解なさいませんよう、礼儀作法を弁《わきま》えぬため、長上にたいしてからかい半分の戯《たわむ》れを働いたなどと。お嬢様は、もしまだお許しが出ていないとすれば、何度でも申上げます、とんでもない謀反《むほん》を企てたことになる。子としての勤め、天成の美しさ、それにおのが分別、未来、一切合財を、あちらこちらと行くえ定めぬ根無草の余所《よそ》者《もの》に預けてしまわれたのだ。今すぐ御自分の手でお確かめいただきたい、万一お部屋に、ともかくも御邸の中においでになったら、御遠慮なく国法に照らして御処分いただきましょう、こうして偽りたばかった罪を。

ブラバンショー　燈《とも》し火《び》を用意しろ、さあ！　蠟燭《ろうそく》を持って来い！　家中を起せ！

そういえば思い当る節がないでもない。いやな夢を見た、そのせいか先程から胸騒ぎがしていたのだが。明りを、おい！　明りを！　（引込む）

**イアーゴー**　では、また。こうしてはおられないからな。どう考えても、立場上まずいし、おもしろくもない——ぐずぐずしていると、そうなりかねないが——このままムーアの前に引張り出されでもしてみろ、万事休すだ。そうさ、おれには解《わか》っているのだ、政府の出方が。たとえこの件でやつに多少の譴責《けんせき》を食らわせたところで、それで思い切って首にするなどという芸当は出来っこないのだ。そうさ、奴は目下サイプラス戦争を一手に預かっている、それが、政府にしてみれば、正に拝みます頼みますのていたらく、しかも戦は今がたけなわ、こうなってはどうもこうもない、奴に代る器量人で国事を託すに足る人物など、どこにも得られようはずがないからな。それを思えばこそ、憎い奴めに始終地獄の責苦をなめさせられているおれだが、身すぎ世すぎのためともあらば仕方はない、旗を振って忠誠の印を見せておかねばならぬのだ。もっとも、文字どおり、お印だけの話さ。いいか、覚えておけよ、奴の居所は本陣のサジタリーだ、追手の連中が出て来たら、そこへ引張って行くのだ。おれも大将と一緒にそこにいる。では、また。（去る）

階下の戸口から、ブラバンショー、炬火《たいまつ》をもった召使たちが出て来る。

**ブラバンショー** もう取返しがつかぬ、娘は行ってしまった。ないがしろにされた余生、残っているのはみじめさだけだ。おお、ロダリーゴー、どこで見かけたのだ、娘を？ かわいそうな奴！ ムーアの奴と一緒だと、そう言ったな？ 父親になどなるものではない！ どうして解ったのだ、あれだということが？ ああ、あれがこのおれを欺《あざむ》く、とても考えられぬ！ あれはなんと言っていた？ もっと蠟燭をよこせ。親戚《しんせき》のものを片端から起してまわれ。二人はもう式を挙げてしまったと言うのか？

**ロダリーゴー** 確かに、そうとしか。

**ブラバンショー** どうしてくれよう！ それにしても、どうやって逃げだしたのだ？ ああ、血が血に背く！ 世間の父親に教えてやる、これからはもう娘を信用せぬがいい、うわべの行いだけを見て安心などしていたら大間違いだぞ！ ひょっとすると、若い娘の心をまどわすまじない薬でもあるのかもしれぬな？ どこかで読んだことはないか、ロダリーゴー、そんな薬の話を？

**ロダリーゴー** は、確かに読んだことがございます。

**ブラバンショー** 弟を起して来い。ああ、こんなことなら、娘はあなたに貰《もら》っておいてもらえばよかった！　さ、一手はこちらだ、一手はあちらへ行け。あなたは知っていよう、どこへ行ったら、娘とムーアがつかまえられるか？

**ロダリーゴー**　なんとか奴を見つけだしてごらんにいれましょう、ともかく護衛の手のものを引連れ、私について来てさえいただければ。

**ブラバンショー**　頼む、案内してくれ。軒なみに起して廻ろう。私の頼みだ、大抵の家は力を貸してくれるはずだ。みんな、得物を忘れるな、いいか！　それから、夜警の役人を呼んで来い。さあ、ロダリーゴー。きっとむだ骨は折らせぬぞ。〔一同退場〕

〔第一幕　第二場〕

2

ヴェニスの町なか、他の場所

オセロー、イアーゴー、炬火《たいまつ》をもった侍者たちが出て来る。



**イアーゴー**　いや、戦争となれば、当然、人を殺しもしました。しかし、こいつはあくまで良心の問題で、計画的な殺人だけはやりたくない。つまり、それだけの悪党になれないということになりましょうか、その方がわが身のためだと解っていても、どうにもなりません。それこそ、何度やっつけてやろうと思ったか知れません、奴《やつ》のあばらの下を、こうぐさりと。

**オセロー**　放っておくがいい。

**イアーゴー**　いや、なりませぬ。奴はぺらぺら口から出まかせの悪口雑言《あっこうぞうごん》を並べたてて、将軍を中傷しております。もともと聖人には縁の薄い私、やっとの思いでこらえました。それよりも、大丈夫でございましょうな、式は完全におすませになりましたか？　申しあげるまでもございますまいが、あの議官殿、大した人望の持主で、議事決定権についても、ヴェニス公同様、二票分の勢力をもっておられる人物。いざとなれば、御結婚の取消しもしかねませんし、あの手この手と法律を楯《たて》にあらゆる手だてを講じて抑圧の手をのばしてまいりましょう。

**オセロー**　思うようにさせておくがいい。おれがこの国の政府に尽した功績には、あの男の訴えも歯が立つまい。それに、まだ誰にも言ったことはないが——名誉のためには時に大口もたたかねばならぬとならば、あえて言おう——おれは人となり王族の出であり、功績の点から言っても、なんの引けめもない、今こうして手に入れた幸運、誇らかに要求する権利があるのだ。そうではないか、イアーゴー、もしおれがデズデモーナを愛していないなら、誰がこのさすらいの自由な境涯《きょうがい》を籠《かご》の中に閉じこめてしまおうものか、たとえ海の幸をことごとく引換えにくれると言われようとも。待て、向うから明りが！

**イアーゴー**　父親と一味の者どもでございましょう、起されたものと見えます。さ、早くおはいりになったほうが。

**オセロー**　何を言う、このままここで待つべきだ。おれの気質、夫としての立場、良心、いずれに賭《か》けても、何ひとつ疚《やま》しいことはない。確かにあの連中か？

**イアーゴー**　これはしたり、違うようですな。

キャシオー、炬火をもった数名の役人が出て来る。

**オセロー**　ヴェニス公の御家来だな。副官も一緒か！　夜よなか、御苦労！　何かあったのか？

**キャシオー**　ヴェニス公のお言葉です、将軍、至急御出頭を、瞬時の暇《いとま》もあらせずとのこと。

**オセロー**　なんの御用だ、知っていような？

**キャシオー**　何かサイプラス島から情報がはいったらしゅうございます。よほどの緊急事らしく、艦隊からの注進が引きも切らず、この真夜中に踵《くびす》を接して次から次へと。

〔I-2〕2

議官連もおおかた起き出《い》で、公の御前に参着いたしております。将軍をとの火急のお召しでございましたが、お宿にはおいでにならぬので、議会は三組の使者を出しておさがし申しあげていたところでございます。

**オセロー** 会えてよかった。しばらく待ってくれ。一言、言い残しておくことがある。すぐ一緒に行くぞ。（家のなかに入る）

**キャシオー** おい、旗手、将軍は何をしておいでなのだ、こんなところで？

**イアーゴー** いやさ、それが今夜は陸を走る大船を乗取ったというわけだ。その掠奪《りゃくだつ》品《ひん》が合法的だと決れば、将軍の御運もこれで定まったと言えような。

**キャシオー** なんのことか解らぬ。

**イアーゴー** 将軍は結婚したのだ。

**キャシオー** 相手は誰だ？

オセロー、二たび登場。

**イアーゴー** それさ、その相手というのが――おお、将軍、お出かけになりますか？

**オセロー** 一緒に行こう。

**キャシオー** あそこに別の一隊が、やはり将軍をさがしに。

**イアーゴー** ブラバンショーだ。将軍、御用心を。いずれ含むところがあってのこと。

ブラバンショー、ロダリーゴー、そのほか炬火や得物をもった役人が登場。

**オセロー** おい! 待て、動くな!

**ロダリーゴー** シニョール、ムーアの奴です。

**ブラバンショー** 掛れ、盗人《ぬすっと》をおさえろ! (敵、身方、共に剣をぬく)

**イアーゴー** 貴様か、ロダリーゴー! さあ、来い、おれが相手になってやる。

**オセロー** 閃《ひらめ》く剣を鞘《さや》におさめろ、夜露で錆《さ》びる。ブラバンショーともあろうお方が、御年功によってお命じあって然《しか》るべく、あえて得物に訴えられるには及びますまい。

**ブラバンショー** ええい、この薄穢《うすぎた》ない盗人め、どこへ娘を隠したのか? 畜生にも劣る奴、貴様は娘をたぶらかしたのだ。考えてもみろ、物には道理がある、妖術《ようじゅつ》にたぶらかされでもしないで、あの優しく美しい、なんの不自由も知らぬ娘が、あれほど結婚を嫌《きら》って、血も同じこの国の富める貴公子さえ断わりつづけてきたのに、わざわざ世の物笑いの種になろうとて、親の膝《ひざ》もとをのがれ、貴様のような男の、その黒ずんだ胸に身を投じるわけがない——それ、見ただけで身ぶるいの出る、その黒い胸に。世間に訊《き》いてみるがいい、誰の目にも明らかなことだ、貴様は娘を妖術でたぶらかしたのだ。あのかよわい乙女心を魔薬でしびれさせ、分別を失わせてしまったのだ。事実はどこまでも糾明してやる。そうに違いない、いかにもありそうなことだ。こうなったら、貴様を捕えずにおくものか。世を毒し、禁制の妖術を用いた罪人として引立ててやる。奴をおさえろ。手向いしたら、容赦なく痛めつけてやるがいい。

**オセロー**　手を出すな、双方とも待て。抜く時は、おれが知っている、人の指図は受けぬ。どこへでもお望みのところへ参り、当方の申開きをいたしましょう。

**ブラバンショー**　牢獄《ろうごく》へ行け、法の定めるとおり、裁きの庭に引出されるまで、そこで待つのだ。

**オセロー**　よろしいかな、お言葉どおりに随《したが》って？　そうして、ヴェニス公は満足されるとお思いか、御使者がこうして私の側《そば》にあり、政府の命によりただちに馳《は》せ参ぜよと申しているのだが？

**役人**　まことのことでございます。ヴェニス公は会議を召集されました。そちらへもお呼びだしが参ったはずとぞんじます。

**ブラバンショー**　なんだと！　公には会議を召集！　この真夜中に！　その男を引立てろ。これとて遊びごとではない。公御自身、また仲間の議官たちにしたところで、この禍《わざわ》いを他人事《ひとごと》とは思うまい。このようなふるまいが大ぴらに通用するくらいなら、

奴隷《どれい》や異教徒に政治を任せたほうが、よほどましだ。（一同退場）

〔第一幕　第三場〕

3

ヴェニス政庁会議室

ヴェニス公および議官たちが卓を囲んでいる。役人数名。

**ヴェニス公**　次々に入る情報がこう脈絡を欠いておっては、いずれも信用するわけにゆかぬ。

**第一の議官**　さよう、相互に一貫性というものがない。私あての書面には敵艦隊の兵力、百七艘《そう》とあります。

**ヴェニス公**　私あてには百四十艘となっている。

**第二の議官**　私のは二百艘とある。しかし正確に一致しておらぬとは申せ――こうした場合、いずれ大よその見積りで報告してくるのですから、違いがあるのも決して珍しいことではありませぬ――とにかく間違いなく一致している点は、トルコ艦隊がサイプラス島に向いつつあるということです。

ヴェニス公 それなのだ、確かに考えられることだからな。その点、情報に食い違いがあるからといって安心は出来まい。要点はそこだ、その心配だけは否定するわけにゆかぬ。

水兵 （部屋の外から声のみ）もしもし！ もしもし！ もしもし！

役人 船からの使者でございます。

水兵がはいって来る。

ヴェニス公 おお、何事だ？

水兵 トルコ艦隊はロードス島に向って航行中、その旨《むね》、政府に報告せよと、アンジェロー提督の命令であります。

ヴェニス公 この情勢の急変、みなはどう考える？

第一の議官 ありうべからざること、そうとしか思われませぬ。そう見せかけて、われらを欺くための偽装行為でございましょう。そもそもサイプラス島はトルコにとって重要地点であるということ、のみならずわれわれとしては十分心に留めておかねばなりませぬが、同島はロードス島以上にトルコの利害に関《かか》わるものであるばかりでなく、また遥《はる》かに攻略しやすい状態にあるということ、というのは、要塞《ようさい》としての施設、装備、いずれの点においてもロードス島に比して遥かに劣っておりますし――こう考えてくると、トルコ軍ともあろうものが、ことさら不手際《ふてぎわ》な戦略を採り、先にすべきを後に廻《まわ》し、易《やす》きを捨てて利を顧みず、あえて無益な危険を冒すがごとき挙に出《い》でようとは、到底、思いもよらぬことと言わねばなりませぬ。

**ヴェニス公**　そうだ、その点どう考えてみても、ロードス島攻略の意ありとは信ぜられぬ。

**役人**　またもや使者が。

使者がはいってくる。

**使者**　申しあげます。ロードス島に直航しておりましたトルコ艦隊は、同島附近にて後続艦隊を待受け、それと合流いたしました。

**第一の議官**　それ、思ったとおりだ。合流兵力はどのくらいと見えたか？

**使者**　三十艘ほどにございます。それが目下行動を再開、航路をそのまま逆にとり、今やあからさまにサイプラス島を目ざして動きはじめました。以上、同島を預かる総督、忠勇なるわれらのモンターノー殿よりの御報告、このうえは一刻も早く御救援をとのことにございます。

ヴェニス公　これで決った、目標は確かにサイプラス島だ。マーカス・ラクシコスは、もうヴェニスにはいなかったな？

第一の議官　ただいまフローレンスに参っております。

ヴェニス公　私の名で書面を作ってもらいたい。すぐさま急使をたてるように。

第一の議官　あれにブラバンショーが、ムーア将軍も一緒だ。

ブラバンショー、オセロー、イアーゴー、ロダリーゴー、そのほか役人たちが登場。

ヴェニス公　オセロー将軍、早速だが、頼みがある、国敵トルコの撃退をお願いしたい。（ブラバンショーに）気がつかなかった、御出席いただけたのは何より、御身の意見と助力が、今夜は格別ほしいと思っていたところだ。

ブラバンショー　当方も同じこと、是非お力添えを。ともあれ、不躾《ぶしつけ》はお許しいただきたい。実は職務のためでもなければ、何か事件を聞き及んでのことでもありませぬ、こうして寝床から這《は》いだして参ったのも、決して国家の大事にせかれてのことではございませぬ。申さば、おのれひとりの悲しみに涙の堰《せき》を破られて、他の憂いごとはことごとくその流れにのまれ、今はただそのことばかりで、どうにもなりませぬ。

ヴェニス公　それはまたどうして？

**ブラバンショー**　娘が！　ああ、娘が！
**一同**　亡《な》くなられたのか？
**ブラバンショー**　さよう、死んだも同じこと、この身にとりましては。娘はたぶらかされたのだ、奪われ、穢《けが》されたのだ、いかさま師から仕入れた妖術《ようじゅつ》と魔薬のおかげで。さもなければ、どうしてあのような愚かな間違いをしでかしましょう、分別もあり、目も見え、感覚もそなわっている人間なら、まじないでも掛けられぬかぎり、どう考えてもありうべからざることでございます。
**ヴェニス公**　誰であろうと、そのような忌《いま》わしい手だてをもって、娘御の正気を奪い、また御身の手から娘御を奪った男は、御身自身、厳しい法規に照らして、心のままに極刑に処せられるがよい、たとえそれが私の子であろうと憚《はばか》るには及ばぬ。
**ブラバンショー**　そのお言葉には心からの御礼を。これがその男にございます、このムーアこそ。見うけるところ、どうやら特別の御命令によりお呼出しになったらしゅうございますな。
**一同**　なんということだ。
**ヴェニス公**　（オセローに）当事者として、何か言い分がおありのはずだが？
**ブラバンショー**　ありますものか、申しあげたとおりにございます。

オセロー　国家の枢機《すうき》に与《あずか》られる議官諸兄、わが尊敬と信愛の的たる御一同の前に謹んで申しあげる、私がこの老人の膝下《しっか》より娘御を連れ去ったというのは紛れもない事実、事実、私はその女をおのが妻といたしました。が、この身の罪と言えば、その一事に尽きる、他には何もない。自分はもともと弁舌の徒にはあらず、物柔らかな言いまわしはとんと弁《わきま》えておりませぬ。思えば、この両の腕に力のつきはじめし七歳の頃《ころ》より今日に至るまで、精々九箇月の例外を除いては、もっぱらその力を戦の庭に用いてまいりましたため、広い世間のことは皆目わからず、軍旅のいさおし以外になんの話柄《わへい》も持合せぬ男、今さらおのれの立場を美々しく飾りたて、自己のために弁じようとはつゆ思いませぬ。が、もしお許しいただけるなら、二人の愛の顚末《てんまつ》、逐一ありのままにお伝えいたしましょう、いかなる魔薬、まじないをもってして、またいかなる呪術《じゅじゅつ》、妖術の力を借りて——いや、私がそうしたと唯今《ただいま》告発を受けましたが——ともあれ、どうして娘御の心をかちえましたか、そのいきさつを。

ブラバンショー　思うこと一つ言えぬ生娘《きむすめ》、おのれの胸のうちをのぞき見ただけで顔を紅《あか》らめるほど気だてのやさしい女、それが——人情の自然にそむき、年柄《としがら》も国の違いも忘れ、見えも外聞もあらばこそ——見るも恐ろしく思っていた男に、われから惚《ほ》れこむなどと、そんなことが！　馬鹿《ばか》もでたらめも休み休み言うがいい、あれほど非の打ちどころのない女が、人情の則《のり》を越えてまで、かほどの過ちを犯すわけがない。考えてみれば解《わか》りそうなものだ、悪魔の所為でなくてどうしてこのようなことが起るものか。だからこそ何度でもくりかえして言うのだ、きっとなにか血を乱す劇薬を用いたに相違ない、薬にいかがわしいまじないをくれて、娘をたぶらかしたのだと。

**ヴェニス公** 何度くりかえそうが、言うだけでは証拠にならぬ。完全、明白な証拠が得られぬ以上、そのような、今様、月並の見せかけだけの廉織物《やすおりもの》で人を罪に落すわけにはゆくまい。

**第一の議官** ともあれ、オセロー将軍、お答えいただきたい。邪《よこしま》な手段によってその娘御の心をとらえ、情を乱したというのは、まことの話か？ それとも正しく求め、深くたがいに理解しあったうえでのことか？

**オセロー** どうかあれをサジタリーまで呼びにやっていただきたい。父親の前で本人の口から話させましょう。その話に、私のことでいささかでも後暗いところがありましたなら、これまでの信用、地位の剝奪《はくだつ》はもとより、たとえ死の宣告をたまわろうと厭《いと》いませぬ。

**ヴェニス公** デズデモーナを呼びにやれ。

**オセロー** 旗手、御使者を御案内するように。場所はお前が一番よく知っているはずだ。（イアーゴー、役人数名と共に退場）では、あれが参りますまで、神にたいしておのが肉の罪を懺悔《ざんげ》するにもひとしき誠をもって、あるがままを御一同のお耳に入れておきましょう、いかにしてこの身がかの女人の心をかちえたか、またあれがいかにしてこの身の心をかちえましたかを。

**ヴェニス公**　それを話してもらいたいのだ、オセロー将軍。

**オセロー**　あれの父御《ててご》にはこの私がことのほか気にいられ、しばしば邸《やしき》にお招きくださり、好んでお尋ねありましたのは、ほかでもない、わが半生の物語——野戦、城攻め、勝敗の運不運、過ぎ来しままに年を追うて語り聴かせろとの仰《おお》せ。当方、言わるるままに、幼少の頃より、お命じあったその間際のことまで、逐一お話し申しあげました。破滅の淵《ふち》の浮き沈み、海に陸に命を賭《か》けての合戦絵巻、あるいは打破られし城壁の裂目《さけめ》より、からくも逃れ出た九死一生の思い出、酷《むご》い敵の手に囚《とらわ》れの身となり、奴隷《どれい》に売られ、身代金《みのしろきん》を払って自由を得はしましたものの、果ては諸国流浪《るろう》の憂《う》きめの数々、その間、巨大な洞窟《どうくつ》、果しなき沙漠《さばく》、切りそがれた断崖《だんがい》、天をも摩する山の頂など、おのずと話にも出ましたが——つまり、それが私の用いました妖術の種と申しましょうか。いや、まだあります、たがいに食いあう食人種アンスロポァジャイ族や、顔が肩の下についている未開人の話もいたしました。そのような物語をデズデモーナはいつも熱心に聴きたがり、時に家事のため席をはずさねばならぬことがありましても、手早くそれをかたづけてまいりますと、貪《むさぼ》るように私の話に耳をかたむけるという有様。私はその様子を見まもっておりましたが、たまたまよい折がございましたので、それとなくあれの方から、どうでも私の放浪の一生を話してくれとせがむように仕向けました。というのも、あれにしてみれば、切れ切れにはともかく、一貫して聴いてはおらぬからでございます。私は承知いたしました。そして若年のころ受けた激しい心の打撃などを語り、あれの涙を絞り取りもいたしました。話し終ると、ねぎらいの吐息をもらし、そのような話は始めて耳にした、想像も及ばぬことだ、あわれでならぬと言うてくれました。のみならず、いっそ話を聴かねばよかったのだが、聴けば、むしろ自分もそのような男に生れてくればよかったと思う、そう言って、私に礼を述べるとともに、こうも申したのでございます、もし私の知合いで自分に想《おも》いを寄せる男に出会うたなら、他のことは要らぬ、今の私の話をそのまま聴かせてくれればよいと教えてやるように、それだけで自分の心は相手の思うままになろうと。その言葉に力を得て、私は意中を打明けたのでございます。あれは私が過去に冒した艱難《かんなん》ゆえに私を愛してくれたのであり、私はあれがそういう私の身の上をあわれんでくれた心根ゆえにあれを愛したのでございます。ただそのことのみ、それが私の用いましたまじないにございます。あれに当人が参りました、当人の口よりじかにお聴き取りいただきましょう。

デズデモーナ、イアーゴー、役人たちがはいって来る。

**ヴェニス公**　そういう話を聴かされれば、私の娘も心うごかされるであろう。ブラバンショー、事態は既に取返しのつかぬものではあろうが、出来るかぎりの善処を頼む。折れた剣でもまだしも空手に優《まさ》るというものだ。

**ブラバンショー**　何はともあれ、娘の話をお聴き願いたい。万一、誘いは半ばあれの方からだと申すなら、この男を罵《のの》った私の頭上に、いかようの天罰が下ろうと、つゆ厭いませぬ！　さあ、ここへ来るがよい。御一同の前で答えてもらおう、このなかで誰の言うことを一番きかねばならぬと思うか？

**デズデモーナ**　お父様、このなかでとおっしゃるなら、二つの負い目が私を引裂きます。お父様には生みの御恩、育ての御恩がございます。その二つの御恩があればこそ、おかげでお父様を敬うことを知りました。お父様こそ、お仕えせねばならぬ負い目のあるじ、私はいつもお父様の娘でございますもの。でも、ここに私の夫がおります。本当にお母様はよくお仕えになりました、その父上のお祖父《じい》様よりはお父様に、それなら同様に私にもお許しいただきとうぞんじます、たとえこのムーア殿をあるじとしてお仕えすると申しあげましても。

**ブラバンショー**　達者に暮すがよい！　もう用はない。なにとぞ議題を国事におもどしあるよう。実の子をもつよりは貰《もら》い子《ご》の方がましだったぞ。さあ、ムーア将軍、ここへ。改めて娘をつかわそう、文句なしにな、そうとも、まだおぬしのものになっていないときなら、文句なしに断わったであろうが。それにしても、お前のおかげで、ほかに子供がなくて、何より仕合せだったと思うておる。ありでもしてみろ、お前に逃げられて、気のすさんだおれのこと、子供たちに足枷《あしかせ》をはめるような乱暴もしかねまい。もう用はすみましてございます、どうぞ先を。

**ヴェニス公**　それなら、ひとつ御身の立場になり代り、教訓を述べさせてもらうとしよう。案外、それが踏み石になって、やがて二人が御身の心に適《かな》う日が来ぬでもあるまい。

万策尽くれば、悲しみも終る、事態の最悪なるを知れば、もはや悲しみはいかなる夢をも育《はぐく》みえざればなり。
過ぎ去りし禍《わざわ》いを歎《なげ》くは、新しき禍いを招く最上の方法なり。
運命の抗しがたく、吾《われ》より奪わんとするとき、忍耐をもって対せば、その害もやがては空に帰せん。
盗まれて微笑する者は盗賊より盗む者なり、益なき悲しみに身を委《ゆだ》ぬる者はおのれを盗む者なり。

**ブラバンショー**　それではサイプラス島もトルコ人の蹂躙《じゅうりん》に委ねるにしくはありますまい、こちらで笑ってすませれば、それを失ったことにはなりませぬからな。お題目や御託宣なるものは、他に負うべき荷のない身軽の者には、なかなか軽便、耳に快きものではありましょうが、ようやくの思いで悲しみに堪《た》えている者としては、その悲痛の上にまた一つ新たな荷を背負わされるようなもの。要するに、世のお題目めいた格言、ことわざの一切は、甘いも辛いも味つけ次第、いずれもごもっともと是非両様に解せられる曖昧《あいまい》なものでございましょう。言葉は所詮《しょせん》言葉に過ぎませぬ、きょうまで誰にも聞いたことがない、心臓の傷が耳から注いだ血止薬で癒《なお》ったなどという奇蹟《きせき》は。それはさておき、なにとぞ議事をお進めになりますよう。

**ヴェニス公**　トルコ軍は強大な兵力をもってサイプラスに向っている。オセロー将軍、かの地の防備については御身が誰よりも詳しい。なるほど目下駐屯《ちゅうとん》せしめてある総督代理は最も有能な人物ではある。が、何分にも、輿論《よろん》というやつ、傾城《けいせい》のごとく全軍の士気を左右する、それが御身の出陣を得ねば安心できぬと言っているのだ。御身としては甚《はなは》だ辛《つら》かろうが、纏《まと》うたばかりの華やかな晴衣《はれぎ》を脱ぎすて、この殺伐、頑迷《がんめい》の蛮敵掃蕩《そうとう》に是非とも乗出していただきたい。

**オセロー**　有無を言わさぬのが習慣の力と申すもの、いや、ほかでもございませぬ、戦の庭にあって石を枕《まくら》に鋼《はがね》の床と明けくれしてまいった身にとりましては、今や戦場こそこよなき羽毛の寝床。正直の話、もともと事の難《かた》きを知らば、矢も楯《たて》もたまらず、すぐにも飛びこんで行きたいたちゆえ、御命令のトルコ討伐のための一戦、誓ってお引受けいたします。それにつけても是非お願い申しあげたいことがございます。留守中、妻の処遇についてよろしく御世話いただきたく、居住、手当のことはもとより、それに伴う身の廻り一切、あれの家柄にふさわしい応分のお心配りをお願い申しあげます。

**ヴェニス公**　そのことか。よかったら、父親の邸にいてはどうか。

**ブラバンショー**　それはお断わり申しあげます。

**オセロー**　私も望みませぬ。

**デズデモーナ**　私とても同じこと、父とともに住みとうはございませぬ、今のままでは父の目障りになり、父を不機嫌《ふきげん》にさせるばかりでございます。ついては、大公のお慈悲にすがりたく、私の申しあげますことにお耳をおかしくださいますよう、つたない言葉は大目に、なにとぞ意中をお汲《く》みとり願わしゅうぞんじます。

ヴェニス公　何が言いたいのだな、デズデモーナ？

デズデモーナ　私がオセロー殿を慕い、共に暮しとう望んでおりますことは、思いきって父を捨て、運命の裁きに身を委ねるに至りましたこのたびのふるまいにより、もはや世間周知のことととぞんじます。もとより夫の天職そのものに心をひかれてのことではございます。この身にとりましては、オセローの真《まこと》の姿はその心にこそ、その名誉と雄々しい働きとに身も心も捧《ささ》げた私にございます。それが、皆様、私一人残され、無為に日を送り、夫は戦場にということになりましたのでは、せっかく生死を共にと念じたかいもなく、その間、重い心を懐《いだ》いて留守に堪えてゆかねばなりませぬ。どうぞ夫について行かせてくださいまし。

オセロー　これの願いをお聴きとどけくださいますよう。天に誓って申しあげるが、一身の逸楽を求めてお願いいたすのではございませぬ。若年ならば知らぬこと、ただ一途《いちず》の欲望に駆られ、わが身ひとりの満足を得んがためでは毛頭ない。快くこれの望みをかなえてやりたい、ひたすらそれだけのことにございます。御一同におかれても、ゆめお考えくださいませぬよう、何より大切な国事、かたえに妻がおっては怠りがちになろうなどと。御心配御無用、万が一、羽の軽いキューピッドのいたずらに、張りつめた心の目がみだらに鈍り、浮き浮きと大事を忘れるようなことになりましたなら、御遠慮には及びませぬ、婢女《はしため》どもに命じて私の兜《かぶと》を鍋《なべ》代りにお使わせになるがよろしい。もとより、世にある忌《い》むべき禍いのすべてが挙げてわが名を滅ぼしに来ようと、それも覚悟のうえにございます!

**ヴェニス公**　御身の一存で決めるがよい、留めおかれようと、連れて行かれようと、心のままに。事は迫っている、ともあれ、急いでもらいたい。

**第一の議官**　夜の明けぬうちに御出発いただきたい。

**オセロー**　かならずそのように。

**ヴェニス公**　明朝九時、この部屋にもう一度お集まり願おう。オセロー将軍、誰か士官を一人残しておいてもらいたい、あとで辞令を届けさせる、その他、指揮統帥《とうすい》に必要な事項も一緒にお伝えしよう。

**オセロー**　では、旗手を残しておきましょう。信頼の出来る誠実な男でございます。デズデモーナの護衛もこの男に頼んでおきますゆえ、あとから必要とお考えの節は、そのほかなんでもこの男にお命じくださいますよう。

**ヴェニス公**　そうすることにしよう。では、みなお引取りいただきたい。(ブラバンショーに)御老人、すぐれた気性の持主はどこか美しいもの、それなら、御身の婿《むこ》殿はまことに目のさめるようなお人、外見とは大違いだな。

**第一の議官**　では、失礼を、ムーア将軍、デズデモーナ殿をお大事に。

**ブラバンショー**　その女に気をつけるがよいぞ、ムーア殿、目があるならばな。父親をたばかりおおせた女だ、やがては亭主もな。

**オセロー**　これの忠実なら、この身の命を賭けましょう！（ヴェニス公、議官、役人たち退場）では、イアーゴー、デズデモーナをよろしく頼む。そうだ、お前の奥さんに面倒を見てもらうことにしよう。都合のつきしだい、あとから二人を連れて来てくれ。さあ、デズデモーナ、打ちとけて話しあうにも、たった一時間しかない、それに後始末や打合せも何かとあろう。時間だけはどうにもならぬ。（オセローとデズデモーナ退場）

**ロダリーゴー**　イアーゴー！

**イアーゴー**　なんの御用でございますかな？

**ロダリーゴー**　おれはどうしたらいいのだ、一体？

**イアーゴー**　考えることはない、帰って寝るまでのことだ。

**ロダリーゴー**　待ったなし、身投げとゆくよりほか手はないよ。

**イアーゴー**　やってみろ、おかげでこちらはさっぱりする。いや、はや、とんだ馬鹿《ばか》旦那《だんな》だ！

ロダリーゴー　どのみち馬鹿な話さ、生きるのが辛いのに生きているというのも。いっそ死に方の処方を手に入れたほうが気がきいている、死ぬ以外に癒る道がないとなればね。

イアーゴー　言語道断だ！　おれはこの世間を、四七《ししち》の二十八年間、じっと眺《なが》め暮してきた。ところで、その間、およそ損得の見境がつくようになってからというもの、ついぞきょうまでお目にかかったことがない、真におのれをかわいがる道を心得ている人物というものにはな。高が牝鶏《めんどり》一羽、惚《ほ》れた腫《は》れたで身投げがしたいなどと、もし自分がそんな弱音を吐きかねぬ男と知ったら、早速人間廃業、狒々《ひひ》にでも何にでもなってしまうね。

ロダリーゴー　それなら、どうすればいいのだ、一体全体？　正直、恥ずかしいよ、これほど腑《ふ》ぬけのていたらくは。といって、おれにはどうする当てもない。

イアーゴー　当て！　ふざけるな！　人間、ああなるのも、こうなるのも、万事おのれ次第だ。おれたちの体が庭なら、さしずめ意思が庭師というところさ、となれば、いら草を植えようと、ちさの種を蒔《ま》こうと、ヒソップを生やしておいて毒麦を引抜こうと、はたまた何か一種類だけにしようと、なんでも手当り次第そこら中に蒔き散らそうと、いやさ、それもだ、放《ほ》ったらかしの枯れ放題にしようと、せっせと肥《こや》しをやって育てようと――万事あれやこれやと事を運ぶ力も役目も、みんなおれたちの意思にあるのだ。人生は天秤《てんびん》同様、一方に理性の皿があって、こいつがいつも本能の皿と釣合《つりあ》いを保っていてくれないことには、おれたちはたちまち劣情の虜《とりこ》となり、目もあてられぬ最期《さいご》をとげようというものさ。さいわい、おれたちにはその理性というものがあるので、情欲のあらしも、肉のそそのかしも、はたまた跳ねあがる助平根性にしても、精々冷やしてやることが出来るのだ。思うに、きみの言う愛というやつも、そんな欲望の一種、つまりその新芽に過ぎない。

**ロダリーゴー**　断じて違う。

**イアーゴー**　単なる欲情のうずき、意思の総退却《そうたいきゃく》さ。おい、しっかりしろ。身投げがしたい！　猫《ねこ》やめくら犬に代りを頼むがいい。おれが助けてやると言っているのだ、いいか、その旦那の腰に、未来永劫《えいごう》、切れっこなしの丈夫な綱で結《ゆわ》いつけておいてくれとお願い申しているのだぜ。いよいよ、おれがお役にたつ時が来たのさ。財布に金を入れておくのだぞ、さあ、戦争を追いかけたり、附《つ》けひげで変装してな。いいか、財布に金を入れておけ。考えてもみろ、デズデモーナがいつまでムーア人に惚れていられるものか――財布に金を入れておけ――男の方だって同じことさ。熱しやすきはなんとやら、見ているがいい、それだけ逆にすぐひびも入る――金だ、財布に金を入れておくのだぞ。ムーア人というやつは気が変りやすいからな――金を財布一杯つめこんでおけよ。同じ食い物でも、今ロカストの実のようにうまいと言っていたかと思うと、すぐその口の下から、今度はコロシント瓜《うり》のように苦いと言いだすやつさ。女は気が変って若いのがほしくなるのに決っている。奴《やつ》の体に食い飽きれば、始めに過ちありと気がつこうというものだ。だから、財布に金を入れておくのだぞ。いいか、どうせ地獄に落ちる気ならばだ、身投げなどより、もちっと気のきいた手を考えるがいい。出来るだけ金を掻《か》き集めて来いよ。宿なしの野蛮人と勘定高いヴェニス女のやることだ、神妙らしく取りかわした夫婦の契《ちぎ》りが、このおれの才覚と加うるに地獄の悪魔総出の加勢をもってして、なお打破れぬということはあるまい。それなら、あの女はお前さんのものと決った、かかるがゆえにだ、さあ、金をつくれ。もってのほかだよ、身投げなどとは! てんで見当違いというものさ。むしろさんざん楽しんだあとで縛り首にあったほうが、女なしで身投げするよりはまだましだくらいの腹は決めてもらいたいね。

**ロダリーゴー** それなら、どこまでも附きあってくれる気かい、こっちが筋書どおり動きさえすれば?

イアーゴー　大きに安心しているがいい。さあ、金をつくったり。始終、言っていることだが、そうよ、何度でも言ってやる、おれはあのムーアが憎い。この恨みは相当根深いのだ。お前さんだって、その気持に変りはないはずだ。ここは手を握りあって奴に復讐《ふくしゅう》とゆこうではないか。もしお前さんが間男《まおとこ》に成功すれば、そちらはお楽しみ、こちらはお慰みというところ。そもそも時間というやつはいろんな出来事を孕《はら》んでいて、やがてそれが一つ一つ生れてくるのだ。進め！　出発だ、金を用意するのだぞ。あとはあしただ。では、これで。

ロダリーゴー　どこで会おう？

イアーゴー　おれの宿舎がいい。

ロダリーゴー　朝早く行くぜ。

イアーゴー　さあ、さあ、では、また。解《わか》ったろうな、ロダリーゴー？

ロダリーゴー　何が？

イアーゴー　身投げはやめだぜ、解ったな？

ロダリーゴー　うむ、気が変った。

イアーゴー　さ、さ、また会おう。金をたっぷり財布にな。

ロダリーゴー　土地を全部売りとばしてしまうつもりだ。（退場）

イアーゴー　この手でいつもおれは阿呆《あほう》を化して財布にするのだ。そうでもしなければ、折角磨《みが》いた知識の手前、おれの顔が立たない。あんな抜け作相手に暇をつぶすからには、大いに慰み、かつ儲《もう》けることでも考えなければな。おれはムーアが憎い。世間の噂《うわさ》では、奴はおれの寝床に這《は》いずりこみ、おれの代りを勤めやがったという。本当かどうか、おれには解らない。だが、おれという男は、そうと聞いたら、ただの疑いだけでも、あたかも確証あるもののごとくやってのけねば気がすまないのだ。奴はおれを信じている。それだけおれの目的には好都合というものさ。キャシオーは男振りがいいと、待てよ。あいつの地位を奪って、おれの悪だくみに一石二鳥の仕上げをすると。なんとか？　どうしたら？　待てよ。もう少し様子を見て、オセローの耳につぎこんでやる、あの男は奥さんに少々狎《な》れ狎《な》れしくしすぎるとな。あいつは様子もいいし、当りもいいから、すぐ疑われる――いかにも女たらしという出来だ。一方、ムーアは万事おおまかで、こまかいことに気を使わない、他人を見る目も、うわべさえ誠実そうにしていれば、それだけのものと思いこんでいる。鼻面《はなづら》とって引廻《ひきまわ》せば、どこへでもおとなしくついてくる、全く驢馬《ろば》よろしくだ。よし、その手だ。やっとお身籠《みごも》りあそばしたぞ。あとは地獄と闇夜《やみよ》の手を借りて、この化物に日の目を見せてやるばかりだ。（退場）

〔I-3〕3

## 〔第二幕　第一場〕

### 4

サイプラス島の港、波止場に近い空地

モンターノーと紳士（島の有力者）二人が出て来る。

**モンターノー**　岬《みさき》から何か見えるかな、沖の方に？

**第一の有力者**　いや、何も。猛《たけ》り狂う高波が海面一杯、空と海との間には帆影ひとつ認められません。

**モンターノー**　そう言えば、陸もひどい風だったな。この城壁にしても、これほどの烈風に吹きまくられたことはなかった。あの調子で海上を荒れまわったのでは、どんな樫材《かしざい》の肋骨《ろっこつ》もたまったものではない、山崩れのように襲いかかる怒濤《どとう》に押しつぶされて、ばらばらになってしまうだろう。一体どういうことになっているのか？

**第二の有力者**　トルコ艦隊は四分五裂のてい、ともかくあのしぶきに煙る渚《なぎさ》に立ってごらんなさい、いらだつ波頭は天に沖《ちゅう》し、風にあおられ狂おしげに振りみだしたたてがみが、燃え輝く小熊《こぐま》座のうえに襲いかかり、不動の北極星を守護する星座の一群も、そのしぶきで光を打消されんばかり、後にも先にも、これほど荒れ狂う大海原は見たことがない。

**モンターノー** いかにトルコ艦隊とはいえ、どこかの港に避難でもすればともかく、まず沈没はまぬかれまい、それだけのあらしを無事に乗切れるわけがない。

第三の有力者が駆けこんで来る。

**第三の有力者** 情報がはいりましたぞ！ 戦争は終りだ。あのすさまじいあらしがトルコ軍を撃退してくれたのです、おかげで奴らのもくろみは大頓挫《だいとんざ》を来たしたというわけだ。ヴェニス政府派遣の身方の船が、海上に散乱する敵艦隊の残骸《ざんがい》を見てきたばかり、なにしろ大半がやられているそうです。

**モンターノー** おお！ それは本当か？

**第三の有力者** その船がもう港にはいっております、ヴェローナの建造船です。マイケル・キャシオーという、ムーアの勇将オセロー殿の副官が上陸しました。将軍の船はまだですが、このサイプラス島守備の全権を委《ゆだ》ねられているとか。

**モンターノー** 何よりの知らせ、あの将軍は総督として申し分のない人物だからな。

**第三の有力者** ところが、そのキャシオーの話を聞いておりますと、トルコ軍の潰滅《かいめつ》はさすがに面白そうに語っておりましたが、どことなく浮かぬ調子が見え、ムーア将軍が無事ならばよいのだがと、そのことをしきりに言っておりました、なんでも、手の施しようのない大あらしで、あまりのすさまじさに、つい離れ離れになってしまったとか。

**モンターノー**　御無事であればよいが。自分もかつてあの将軍の下で働いたことがある、全軍の統率者として、一点、非の打ちどころのない軍人だ。さあ、みんな浜へ出ろ！　港にはいって来る船を見張っているのだ、そうして一刻も早く勇敢なオセロー将軍の姿を見つけ出さねばならぬ、それこそ、海の青、空の青がけじめを失って一色に見えるほど沖に瞳《ひとみ》をこらして。

**第三の有力者**　そうだ、それがいい。こうしているうちにも、船はいつはいって来るかもしれない。

キャシオー登場。

**キャシオー**　お礼を申しあげましょう。この勇敢な島の守備を預かる勇士の口から、ムーア将軍への讃辞《さんじ》が聞けたのはうれしい！　天に祈る、将軍の身を風波より守りたまわんことを。実は、あらしの中で将軍の船を見失ってしまったのです。

モンターノー　乗っておられた船はもちろんしっかりしているのでしょうな？
キャシオー　あの船は木組もがっしりしておりますし、船長も経験を積んだ選りぬき《え》の人物です。その点、私は最後まで希望を捨てません。（奥で「船だ、船だ、船だ」と叫び声が聞える）

第四の有力者が駆けこんで来る。

キャシオー　あの騒ぎは？
第四の有力者　町はもう空っぽだ、みな波打際《なみうちぎわ》に押寄せ、てんでに大声あげて「船だ！　船だ！」と叫んでいる。
キャシオー　総督の船ならばよいのだが。（号砲が聞える）
第二の有力者　礼砲を打っている、とにかく身方だ。
キャシオー　すまぬ、見て来てくれぬか、誰が着いたのか知らせてもらいたい。
第二の有力者　私が行って来ます。（退場）
モンターノー　ところで、副官、将軍は奥様がおありなのですか？
キャシオー　全くの好運児ですよ。最近、お迎えになったばかりだが、それが筆舌も及ばぬ、大した評判の女性。いや、実際、紋切型の褒《ほ》め言葉などいくら並べてみても仕方がない、その天性の美質にはいかなる名工も筆を投げずにはいますまい。

第二の有力者、二たび登場。

**キャシオー** どうだった？ 誰です、入港したのは？

**第二の有力者** イアーゴーという人です、将軍の旗手だとか。

**キャシオー** 運のいい男だ、こんなに早く着くとは思わなかった。さしもの大あらしさえどうにもならなかったと見える、あの、非のない船をくつがえそうと待伏せしている裏切者の高潮や烈風、暗礁《あんしょう》や浅瀬、奴らにもさすがに美しいものは解ると見える、みんな持前の本性をおさえて、つつがなく通してくれたらしい、あの清らかなデズデモーナを。

**モンターノー** それは誰のことを？

**キャシオー** いま申しあげたとおり、わが将軍の、またその将軍であらせられる女人、その護衛を任せられたのが、かの恐れを知らぬイアーゴー、それが予定より一週間も早く到着したというわけです。ジュピターの神にお願いする、オセロー将軍を守らせたまえ、その力強い息を一吹き、将軍の船の帆を一杯に孕《はら》ませて、威風堂々この港に送りこみたまえ、そうして将軍がデズデモーナの胸に激する想《おも》いを鎮《しず》め、消えかかったわれらの士気を新たに燃えあがらせ、サイプラス島全土に喜びの渦《うず》を巻き起してくれるように。

デズデモーナ、エミリア、イアーゴー、ロダリーゴー、および侍者たちが登場。

**キャシオー** おお、あれを、貴重な船荷の御上陸を！ サイプラスの方々、どうぞお膝《ひざ》を。おめでとうございます、デズデモーナ様！ 天の恵みがつねに御身を取巻き、御身のまわりに在りますよう！

**デズデモーナ** お礼を申しあげます、キャシオー様。それにしても、将軍のお身の上のこと、何かお聞き及びになりましたか？

**キャシオー** まだお着きになりませぬ。なんの情報もございませぬが、きっと御無事で、間もなく御上陸のこととぞんじます。

**デズデモーナ** ああ、でも、万一——どうして離れ離れに？

**キャシオー** 海と空とがたがいに摑《つか》みあいでもしかねまじき大あらし、ついに引離されてしまいました。おお、あの騒ぎを！ 船です。（奥で「船だ、船だ」という叫び声、つづいて号砲）

**第二の有力者** 砦《とりで》に向って礼砲を打っている、今度のも身方の船だ。

キャシオー　様子を見て来ていただきたい。(第二の有力者退場) 旗手、きみも無事でよかった。(エミリアに) あなたも御無事で何より。気にしないでくれ、イアーゴー、少々恭《うやうや》しく御挨拶《あいさつ》申しあげてもな。これがおれの流儀なのだ、こうして思いきった挨拶をするのも。(エミリアに接吻《せっぷん》する)

イアーゴー　副官、もしその女が存分に唇《くちびる》をさしあげたら、いや、舌先の攻撃の方はちょいちょい頂戴《ちょうだい》しておりますがね、とにかくもうたくさんだとおっしゃるでしょうよ。

デズデモーナ　まあ、この人すこしもお喋《しゃべ》りではありませんよ。

イアーゴー　いや、それが実に大したものでして。しかも、こちらがいざ寝ようとすると、決って始まるのですからな。なるほど、奥様の前では、いや、解ります、その針の舌を胸の中にたたみこみ、言いたい文句も御遠慮申しあげているのでございましょう。

エミリア　根も葉もない出まかせを。

イアーゴー　なんとでも、なんとでも。そもそも女性なるものは、外に出《い》でては、おとなしきこと絵のごとく、居間に在りては、うるさきこと鐘のごとく、もしそれ台所にあらんか、正に山猫《やまねこ》のごとし。また悪事を働くに聖者の顔をもってし、ひとたび怒らば悪魔の形相すさまじく、家事は怠け放題、閨《ねや》では稼《かせ》ぎ放題という代物《しろもの》さ。
**デズデモーナ**　もうたくさん、ひどすぎます！
**イアーゴー**　いや、嘘《うそ》は申しません、トルコ人ではございませんから。女房殿、お前さんは怠けんがために起き出で、働かんがために床につくという女性だ。
**エミリア**　あまり褒めないで頂戴。
**イアーゴー**　まったくだ、おれとしても褒めたくはないね。
**デズデモーナ**　では、私を褒めてくださるとしたら、どうおっしゃるかしら？
**イアーゴー**　やあ、奥様、それは御勘弁いただきたいものですな、あらさがしを封じられたら、てんで口のきけない男ですから。
**デズデモーナ**　どうぞ御遠慮なく――誰か港に行っていてくださって？
**イアーゴー**　もちろん、奥様。
**デズデモーナ**　（傍白）少しも浮いた気持にはなれないのだけれど、それは隠して心にもない様子をしていなければ。（声高く）さあ、褒めて頂戴、どうおっしゃるおつもり？
**イアーゴー**　今、口から出かかっているのです、ところが、その名文句が頭蓋骨《ずがいこつ》に貼《は》りついてしまい、まるで鳥もちが布きれにへばりついているようで、うまく剝《は》がせな

〔II-1〕4

いのですよ――無理に引張りだすと、中身の脳みそまで飛びだして来てしまいそうで
してね。いや、お待ちください、わが詩の女神、いよいよ産気づかれましたぞ、それ、
生れた、これ、このとおり。
　色が白うて賢うて
　器量がようて智慧《ちえ》あって
　器量で売れてそのうえで
　智慧で器量を高く売る
**デズデモーナ**　それだけ褒めていただけば、冥利《みょうり》につきます！　それなら、もし色が
　黒くて賢ければ？
**イアーゴー**
　色は黒いが賢くて
　ここぞと智慧を働かせ
　孫子の代に望みかけ
　白い亭主を手に入れる
**デズデモーナ**　だんだん悪くなる。
**エミリア**　それなら、色が白くて馬鹿《ばか》だったら？

イアーゴー
色が白うて器量よし
そういう女に馬鹿はなし
馬鹿をみたとて損はなし
腹におみやげ仕込んでる

デズデモーナ　どれもこれも飲み屋でお馬鹿さんたちを笑わせる、たわいのない古い駄洒落《だじゃれ》ね。それなら、色が黒くて馬鹿な女には、どんな讃辞を呈するつもり？

イアーゴー
色は黒うて馬鹿なれど
才女美人も顔負けの
男出入りは恋の玄人《くろうと》
苦労も楽し恋の道

デズデモーナ　まあ、ますます訳が解らなくなってきた！　悪くなるほど褒めるのね。そうなると、申し分のない女はどう言って褒めたらいいのかしら――どんなに悪意をもっていても、つい褒めてしまわずにはいられないような、一点の非の打ちどころのない人は？

〔II-1〕4

イアーゴー
器量がよいのを鼻にもかけず
きける口でもむだにはきかず
金があるのにお洒落はせず
ままになる身で欲には走らず
返せる恨みに立つ腹立てず
じっとこらえて涙を見せず
才女なれども亭主をなめず
鰯《いわし》ほしさに鯛《たい》をば捨てず
深き考え表に出さず
騒ぐ男に目もくれない
そういう女に会ってみたい
そういう女に似合うのは——

デズデモーナ　どんなことかしら？

イアーゴー
うるさい餓鬼をふところに

出入帳と首引き

**デズデモーナ**　まあ、ずいぶん腰くだけの気の抜けた結びなのね！　真に受けてはいけませんよ、エミリア、いくら旦那《だんな》様の言うことでも。そうでしょう、キャシオー？　ずいぶんはしたないお師匠さんだとお思いにならない？

**キャシオー**　もともとあけすけにものを言う男なのです。軍人としてお扱いくださいまし、学者のようにはまいりませぬ。

**イアーゴー**　（傍白）お手をお取りあそばしたな。結構、それでよしと、精々内証話をするがいい。まずこうして小さな網を張っておいて、そのうちキャシオーという大きな蠅《はえ》を引っかけてお目にかける。結構、精々お愛想を言うがいい、さあ、いくらでも。今にその持前の慇懃《いんぎん》に引きずりこまれて、手も足も出なくさせてやるぞ。おっしゃるとおり、そう、そのとおり。だが、このおれの企《たくら》みで、副官も何も吹きとんでしまうとなれば、そんなまねはやめたほうがよかろうぜ、三指とっての口づけにいくら通人気取りを楽しもうが、むだな話さ。よろしい、その口づけ千両！　お辞儀も見事！　そう、そのとおり。おや、また指を唇に？　その指が灌腸器《かんちょうき》の管だったら、まだしも自分の役にたとうものを！　（奥でトランペットの音。急に声高に）ムーア将軍だ！　トランペットの音で解《わか》る。

キャシオー　確かにそうだ。
デズデモーナ　皆でお出迎えを。
キャシオー　あれを、もうこちらへ！
　オセローと侍者たちがはいって来る。
オセロー　おお、美しき戦友！
デズデモーナ　オセロー様！
オセロー　驚いたぞ、いや、何よりうれしい、こう早く会えるとは思わなかった。なんという喜びか！　いつもあらしがあとにこのような静けさをもたらすものなら、思うぞんぶん吹きまくるがいい、死人の眠りを呼びさますほどに！　大海に弄《もてあそ》ばれる船が、その波頭とともにオリンポス山の高みをきわめたかと思うと、たちまちまっしぐらに地獄の底に首を突き入れようと、なんの恐れることがあろう！　こうして、今すぐ死ねたら、今こそ生涯《しょうがい》もっとも仕合せな時となろう。そんな気がする、愛する者の心がこれほど余すところなく感ぜられる、そういう静かな喜びが、測りがたい未来に二度とふたたび訪れようとは思われぬ。
デズデモーナ　何をおっしゃいます、二人の愛と喜びは日とともに深まるだけ、どうぞそのように！

**オセロー**　共に祈ろう！　どう言ったらよいのか、この満ちたりた心、それに言葉を堰《せ》かれて、何も言えぬ。喜びが大きすぎるのだ。こうして、さあ、こうしている今が、二人の心を隔てる最も大きな溝《みぞ》であるように！　（そう言いながら接吻をする）

**イアーゴー**　（傍白）おお、琴瑟《きんしつ》相和しというところだ、今はな！　だが、そのうちかならず音締《ねじ》めを狂わせてやるぞ、この誠実イアーゴーの名にかけても。

**オセロー**　さあ、城へ行こう。皆、聞くがいい、戦は終った、トルコ艦隊は全滅したぞ。島の昔なじみはどうしているな？　デズデモーナ、あなたもこのサイプラスでは大いに歓迎されることだろう。ここでは、おれもずいぶん大事にされたものだ。おお、すっかり取りとめのないお喋りに耽《ふけ》り、一人でいい気持になっていたな。頼む、イアーゴー、港へ行って、おれの荷を降ろして来てくれ、それから船長を砦まで案内してもらいたい、あれはいい男だ、しっかりもしている。十分鄭重《ていちょう》に扱ってやれ。さあ、デズデモーナ、こうしてサイプラスでふたたび巡り会えるとは、これほど嬉《うれ》しいことはない。（イアーゴーとロダリーゴーのほかすべて退場）

**イアーゴー**　波止場で待っていてくれ、すぐ行く。ちょっとこっちへ。勇気はあるだろうな――くだらぬ男でも女に惚《ほ》れているときは、正味よりちっとは立派になるという――よく聞けよ。副官、今夜は夜警で詰所だ。そこでまず申しあげておく、デズデモーナは間違いなくあの男に惚れている。

ロダリーゴー　あの男に！　何を言う、そんなことはありえない。

イアーゴー　指を口に当てろ、それ、こうして、そのまじっと承っていればいいのだ。いいか、始め女が前後の見さかいもなくムーアに惚れてしまったのは、なんのことはない、ただ夢のような大ぼらを吹きまくられたからに過ぎない。となれば、そんな口先のお喋りにいつまでも惚れていられるものかね？――なにも、その立派な御分別を煩《わずら》わすまでのことはあるまい。決っている、あの女にしても目の保養はしたいやね。ところで、どんな楽しみが得られるというのだ、悪魔の御面相を眺《なが》め暮しているだけで？　やがて欲情も例のいたずらに倦《あ》きてきて、いや、かならずそうなるものさ――その時になって、もう一度その火を掻《か》きたて、新鮮な食欲を湧《わ》きあがらせようとなると――どうしてもほしいのが目鼻だちや年の釣合《つりあ》いだ、一々のしぐさ、見た目の美しさだ、いずれもすべてムーアには無いものばかりさ。さて、こうした肝腎《かんじん》な資格が皆無ということになると、女は自分のふくよかな若さが台なしにされたことにようやく気づき、食ったものが吐きだしたくなる、ムーアを嫌《きら》い、憎みはじめるというわけだ。ほかならぬ人間の本性が女をそう導き、何か掛けがえがほしくなるようにそそのかす。さて、以上、お認めいただけるとしてだ——そうだろう、至極もっともな無理のない仮定だからな——ところで、この好運の梯子《はしご》のぼりだが、その点、キャシオーほど優位な立場にあるものが、ほかにいるかどうか？——まったく小まめな野郎だ。奴《やつ》の良心といえば、精々品よくみやびなこなしをして見せるというだけのこと、それもつまりは、うぬが淫《みだ》らな内心の欲情をなんとか遂げさせようがための御方便。見ろ、誰もかなわない、そうよ、奴ひとりさ——油断のならない悪賢い野郎だ、機会ばかり覘《ねら》っていやがる、とんだ贋金《にせがね》づくりで、もうからないはずの利益まで器用にはじきだす凄腕《すごうで》の持主、まるで悪魔みたいな野郎だ！　おまけに、あの野郎、男がよくて、若いばかりか、何も知らぬうぶな女の子に騒がれる条件はことごとく備えている、どうにも手のつけられない毒みたいな野郎だ、女は早くもそれを見ぬいたというわけさ。

**ロダリーゴー**　あのひとに限って、とても信じられないことだ。あれほど無垢《むく》な心の持主はいないよ。

**イアーゴー**　無垢なとは、このむく犬め！　あの女の飲む酒だって同じ葡萄《ぶどう》から造るのだ。もし無垢な心の持主だったら、そもそもムーアなどに惚れはしなかったろうぜ。無垢、まあ、そうむくれるな！　さっき見なかったのかい、男の掌《てのひら》をいじくりまわしているところを？　あれに気がつかなかったのかい？

ロダリーゴー　ああ、見たよ、でも、あれは単なる挨拶に過ぎない。
イアーゴー　好き心さ、この手に賭《か》けてもいいね、あれは色欲煩悩《ぼんのう》物語の目次だよ、いかがわしい書出しというところだ。二人とも唇をあんなに近く寄せあって、息と息とがぴったり抱きあわんばかり――邪淫《じゃいん》さ、その気でなくて、ロダリーゴー！　そんなこんなでたがいに気を持たせあいの小手調べ、それと見る間に早くも真剣勝負で、めでたく双方相打ちの共倒れとくる。畜生！　まあ、頼む、おれの指図どおり動いてくれ。ヴェニスから連れて来てやったじゃないか。いいか、今夜の夜警に出るのだ、手《て》筈《はず》はおれが整える。キャシオーはきみを知らない。おれがそばについていてやる。何かきっかけを作って、キャシオーを怒らせるのだ。大声でわめきちらすのもいい、奴の腕にけちをつけてやるのもいい、その場の風の吹きまわしで、なんでも好きなことをやってのけるのだ。
ロダリーゴー　なるほど。
イアーゴー　いいかね、奴は短気で、すぐ腹をたてる、たぶんきみに突きかかってくるだろう――そうなるように持ちかけるのだ。解るか、あとはおれがそれを材料にサイプラス中が煮えくりかえるような大騒動をひきおこして見せる。そうなれば、ちっとやそっとの匙《さじ》加《か》減《げん》で元の味にはもどらない、どうしたってキャシオーをつまみだしてしまわなければだめだということになる。きみにとっては大願成就《じょうじゅ》の近道、いずれその場になったら、おれがよろしく取りもってもやろうが、そうして邪魔物だけは取りのけておかないことには、おたがい、いつまで待とうが日の目は見られそうもないからな。

**ロダリーゴー**　よし、やる。その代り、きっかけだけはつけてくれなければ。

**イアーゴー**　安心していろ。砦《とりで》で待っていてくれ、すぐ行く。その前に奴の荷を陸揚げして来なければならない。ひとまずさようならだ。

**ロダリーゴー**　では、また。（退場）

**イアーゴー**　キャシオーが女に惚れている、これは間違いない。女の方でも奴に惚れている、これも当然、大いにありうることだ。ところで、ムーアだ、おれにとってはどうにも我慢のならぬ男だが、誠実で、情の深い、高潔な人柄《ひとがら》、どう考えようと、デズデモーナにとっては、ほかに掛けがえのない亭主と言わねばなるまい。さて、このおれも御同様、あの女に惚れている、かならずしもあの道だけが目あてにあらず——いや、正直、いささかも疚《やま》しきふし無しとは申しあげかねるが——それよりは、ともかく自分の恨みがはらしたいからだ。訳は大あり、どうやらあの色好みのムーアめ、おれ様専用の鞍《くら》にまんまと納まりこんだことがあるらしい。その姿をちらと思い浮べただけで、まるで毒でも飲まされ、腹わたが焼けただれるような苦しさだ。もうこうなったら、ほかに手はない、どうでも奴とあいこになって、女房の仇《あだ》は女房で返してやるだけの話さ。まあ、そうまで事がうまく運ばないとしてもだ、せめてムーアの奴を劇《はげ》しい嫉妬《しっと》の発作に追いこみ、七顚八倒《しちてんばっとう》、思慮分別ではどうにも逃れられぬようにしてやる。そこまでの手順の一つがあのヴェニスの野良犬《のらいぬ》、いつでも飛び出せるように、今や頃合《ころあ》いを見計らっているというところだが、これでうまく獲物を引寄せてくれさえすれば、わがマイケル・キャシオーはもうこっちのものだ、あとはムーアに讒《ざん》言《げん》してやる、出来るだけいやらしくな――当然さ、どうやらキャシオーの奴もおれの寝巻を横取りしやがったらしいからな――そのうえ、ムーアの奴には礼を言わせる、おれをかわいがり、褒美《ほうび》をくれるように仕向けてやる。それもなんのことはない、そのムーア馬の鼻面《はなづら》とって引廻《ひきまわ》し、心の平和を狂わせて、焦熱地獄に落してやった恩返しにな。ま、万事はここに、が、まだ形をなさない、悪事というやつは、その場その場で目鼻をつけてゆくものさ。（退場）

## 5 〔第二幕 第二場〕

サイプラスの町なか

布告係が触書《ふれがき》を持って登場。住民がそのあとに随《したが》う。

**布告係** われらが尊敬の的たる勇敢なるオセロー将軍の思召《おぼしめ》しを伝達する、ただ今トルコ艦隊潰滅《かいめつ》の報に接した、よって島民一同、思い思いに戦勝の祝意を表するよう、踊るもよし、祝い火を焚《た》くもよし、それぞれ気の赴くままに歓《かん》を尽すがよい、言うまでもないが、この喜ばしい知らせにかてて加えて、本日は将軍の御結婚をお祝いするめでたい日でもある。以上、将軍の思召しを伝達する。砦内の賄《まかな》い所《じょ》は全部開放、したがって、五時現在より夜十一時の鐘が鳴るまで、そこにての飲食は自由にしてよろしい。このサイプラスの島、並びにオセロー将軍の上に天の御恵みのあらんことを！

(そう言いおいて去る)

〔第二幕 第三場〕

6

砦の広間

オセロー、デズデモーナ、キャシオー、および侍者たちが出て来る。

**オセロー** マイケル、今夜の夜警は頼んだぞ。われから心して体面を重んじ、分別を忘れ度を過すことのないように。

**キャシオー** 万事、イアーゴーが心得ております。もちろん、私自身、目の及ぶかぎり、十分に監督いたすつもりにございます。

**オセロー** イアーゴーなら、誠実な男だ、安心できる。マイケル、では、寝《やす》むぞ。あすの朝、出来るだけ早く会って話がしたい。さあ、デズデモーナ、いわば買物をすませたところだ、あとはそれを楽しむだけだな。その喜びを分け合う折が、おたがいにきょうまで見出《みいだ》せなかったが。おやすみ。(キャシオーを残して一同退場)

イアーゴー登場。

**キャシオー**　待っていた、イアーゴー、夜警につかなければならない。
**イアーゴー**　まだ時間にはならない、副官、十時前だ。将軍はデズデモーナ様に引かされて早々とお引上げだが、といって、文句も言えまい、まだ一夜の歓《かん》を共にする暇《ひま》もなかったのだからな。いや、あれこそ好き者のジュピター神が決して見のがしっこない女人だぜ。
**キャシオー**　全くすばらしい女性だ。
**イアーゴー**　それに、間違いなし、結構手管も心得ている。
**キャシオー**　実際、匂《にお》うように美しい。
**イアーゴー**　あの目がすごい！　艶《えん》にして挑《いど》むがごとしだ。
**キャシオー**　人を誘いこむような目をしている、しかも、貞潔ですがすがしい。
**イアーゴー**　それに、あの声、聞く者を思わず恋に駆りたてる鐘の音とでも言いたくなるではないか？
**キャシオー**　実際、一点、非の打ちどころもない。
**イアーゴー**　されば、御両人の新床《にいどこ》に祝福あれ！　ところで、副官、酒の用意をしておいたのだ。実は、外にサイプラスの伊達男《だておとこ》を二、三人待たせてあるのだが、いずれも黒面将軍オセローの健康を祝して一杯やりたがっている連中さ。
**キャシオー**　今夜はだめだ、イアーゴー。もともと下戸《げこ》ですぐ参ってしまうたちでね。おれに言わせれば、同じ儀礼にしても、何かほかの款待《かんたい》法が考えられそうなものだな。
**イアーゴー**　まあ、みんな仲間ばかりなのだ――一杯だけ、あとはおれが助ける。
**キャシオー**　その一杯だけを、実は今夜、既に頂戴《ちょうだい》してしまっているのだ、それもひそかに水を割ってごまかしたくらいさ。それが、見ろ、もうここに出ている。因果なことに、これがおれの弱味さ。が、自分の弱点をこれ以上無理にいじめることはないと思っているのだ。
**イアーゴー**　おい、元気を出せよ！　今夜はお祝いなのだ、伊達男たち、たっての御所望だし。
**キャシオー**　どこにいるのだ？
**イアーゴー**　そこの戸口で待っている。頼むから、入れてやってくれないか。
**キャシオー**　そうするか、だが、どうもまずいな。（出て行く）
**イアーゴー**　なんとか一杯だけ飲ましてしまいさえすれば、その前に一杯やっていると言っていたからな、奴はたちまち、世の若女房連の愛犬よろしく、張り切って喧嘩《けんか》早くなるに決っている。一方、わが抜け作のロダリーゴー、恋に目がくらんで後先見ずののぼせよう、今夜はデズデモーナに祝杯を捧《ささ》げるのだとばかり、早くも酒瓶《さかびん》かかえて浴びるほど飲んでいたっけが、奴も同様夜警に出る。こちらはサイプラス島の例の野郎ども二人、いずれも気の強い向う見ずばかり揃《そろ》えてある、妙に体面を気にする奴らで、何はさておき土地柄の喧嘩早いことにかけてはその名に恥じない、それも今夜はたっぷり飲ませておいたが、奴らも御同様、夜警に出る。ところで、おれとしては、この酔っぱらいどもの唯中《ただなか》で、わがキャシオー先生に一暴れしてもらって、島中ひっくりかえるような騒動に仕立てあげないことには。それ、皆さん御入来だ。これでもし成行き万事おれの夢どおり運んでくれれば、それから先の舟足は滑るがごとく潮に乗り、風をはらんで上々吉というわけさ。

　キャシオーが戻って来る。続いてモンターノー、および島の有力者たち。そのあとから召使が酒を持って来る。

**キャシオー**　恐れ入った、早くもいやというほど飲まされてしまったよ。

**モンターノー**　大げさな、ほんの小さな杯に一杯だ、一パイントもはいりはしない、軍人だ、嘘《うそ》は言わぬ。

**イアーゴー**　おおい、注《つ》いでくれ！（歌う）

それ　鑵《かん》をカンカラカンのカンカン

それ　鑵をカンカラカンのカン

兵隊だって人間だ

人間　命は束《つか》の間《ま》だ

それ　飲め　それ　飲め　兵隊さん

おおい、注いでくれ！

**キャシオー**　恐れ入った、なかなか愉快な歌だ。

**イアーゴー**　イングランドで覚えてきたのだ、あそこの連中ときたら、全く底ぬけだからね。デンマーク人だろうがドイツ人だろうが、それから太鼓腹のオランダ人だろうが――おい、飲め！――イングランドの奴らにはかなわないよ。

**キャシオー**　イングランド人というのはそれほど酒豪かね？

**イアーゴー**　そうよ、デンマーク人など手もなく飲みつぶしてしまう。ドイツ人を倒すのだって汗もかかない。オランダ人に七顚八倒、吐くのあげるのとやらせておいて、奴らは余裕綽々《しゃくしゃく》もう一杯と行く。

**キャシオー**　将軍の健康を祝す！

モンターノー　あとに続くぞ、副官、それからきみの分も。

イアーゴー　ああ、楽しきかな、イングランド！（歌う）

スティーヴン王は名君だ
　ズボンにたった一クラウン
　それでも高いと
　　仕立屋叱《しか》る
　お前さんは町人
　　おごりは禁物
　お国のためだよ
　　お古で結構

おおい、注いでくれ！

キャシオー　よう、ますますもって愉快な歌だ。

イアーゴー　もう一度聴かせてやろうか？

キャシオー　たくさんだ、おれは感心しないね、そういう遣《や》り口《くち》は王にふさわしくない。いいか、神様が一番上におわしましてだ、しこうして、下、全人類の魂はだ、救わるべきもあり、救わるべからざるもありさ。

イアーゴー　御説のとおりだ、副官。

キャシオー　このおれはだよ――将軍、並びにお歴々には申しわけないが――まず救われる口だね。

イアーゴー　御同様、おれもさ、副官。

キャシオー　そう、だが、気の毒だが、おれの方が先だ。副官は旗手より先に救われることになっているのでね。その話はもうやめにしよう。さあ、仕事だ。神よ、われらの罪を許したまえ！　みんな、任務についてくれ。お歴々、わが輩、酔ってはおりませんぞ。これはわが輩の旗手だ。これはわが輩の右手。それからこれがわが輩の左手だ。絶対に酔ってはおらぬ、ちゃんと立てる、ちゃんと喋《しゃべ》っている。

一同　大丈夫、ちゃんとしたものだ。

キャシオー　見ろ、もうちゃんとしているぞ。酔ってなどいるものか。（出て行く）

モンターノー　みんな、砲台に出てくれ、さ、夜警だ。

イアーゴー　いま出て行ったあの男、御覧のとおりです。軍人としてはシーザーと肩を並べ一軍を率いて立つにふさわしい人物、それが、御覧なさい、あの弱点がある――おかげで美点も帳消し、昼と夜とが同じ長さの、正に秋分というところですな。惜しむべしです。どうやら将軍はあの男に信を置いていらっしゃるようだが、いつかひょっとしてあの癖が出て、この島の迷惑にならねばいいのですが。

**モンターノー**　しかし、いつもあんな調子なのか？

**イアーゴー**　あれが奴《やつ》の序の口で、そのあとは眠ってしまうのです。平生は時計が二廻《まわ》りしようが、平気で勤めを果す男ですが、飲んでいい気持になると、からきしだめです。

**モンターノー**　いずれにせよ、将軍の耳に入れておいた方がよろしい。たぶん、ごぞんじないのだ。あるいはああいう御気性だから、キャシオーの美点を賞するあまり、悪癖の方はとんと気づかれぬのかもしれぬ、そんなことはないかな？

ロダリーゴー登場。

**イアーゴー**　（小声で）おい、何をしている、ロダリーゴー！　しっかりしろ、副官のあとをつけるのだ、さ、早く。（ロダリーゴー去る）

**モンターノー**　それにしても残念至極だな、将軍としては片腕とも頼まねばならぬ副官の地位に、そういう深い欠陥のある人物を任じておくというのは。むしろありのままをムーア将軍に直言したほうが誠実というものだろう。

**イアーゴー**　私には言えません、たとえこの美しい島を全部くれると言われようと。

〔II-3〕6

私はキャシオーという男が好きなので、なんとかしてあの悪癖をなおしてやりたいと思っているのです。(奥で「助けてくれ！　助けてくれ！」という声)それより、あの声を！　何事でしょう、一体？

キャシオーがロダリーゴーを追って二たび登場。

キャシオー　畜生、こいつ、待て、悪党！

モンターノー　どうしたのだ、副官？

キャシオー　生意気な野郎だ、おれに指図をしやがる！　酒瓶よろしく戸棚《とだな》の中にぶちこんでやるぞ。

ロダリーゴー　おれをぶちこむ！

キャシオー　まだ喋る気か、こいつ？　(ロダリーゴーを打つ)

モンターノー　よせ、副官、頼む、手を引いてくれ。

キャシオー　離せ、さもないと、その頭蓋骨《ずがいこつ》に一発くらわせるぞ。

モンターノー　まあ、まあ、きみは酔っているのだ。

キャシオー　酔っている！　(両人たたかう)

イアーゴー　(小声で)消えるのだ、さ、外へ行って、大事件だとどなって来い。(ロダリーゴー出て行く）よせ、副官！　後生だ、二人とも！　誰か手を貸してくれ、おおい！——副官——おい——モンターノー——さあ——手を貸してくれ、みんな！——とんだことになってしまったぞ、せっかくの夜警が！（奥で鐘が鳴る）誰だ、鐘を鳴らしたのは？——畜生、おい！　町中、起きてしまうぞ。後生だ、副官、手を引け、一生の恥だぞ。

オセロー、並びに侍者たちが出て来る。

**オセロー**　どうしたのだ、一体？

**モンターノー**　畜生、血がとまらない。ひどい傷だ。よし、殺してやる。（二たびキャシオーに襲いかかる）

**オセロー**　引け、引かぬと命が無いぞ！

**イアーゴー**　手を引け、おい！　副官——さあ——モンターノー——二人とも——場《ば》所柄《しょがら》を弁《わきま》えろ、任務を忘れてしまったのか？　将軍のお声が聞えないのか、手を引けというのに、ええい、恥を知れ！

**オセロー**　一体、どうしたというのだ、待てと言うに！　事の起りはなんだ？　トルコ人の真似《まね》をして、天が彼らに禁じた暴力を、今度はわれとわが身に加えようというのか？　クリスト教徒の恥だ、蛮人のまねごとはやめろ、そのまま動くな。なおもわが身を怒りにまかせて悔いぬとあらば、いずれにせよ命の要らぬものと認める、その場に斬《き》って捨てるぞ。やかましい、鐘をとめろ、いたずらに島の者をおびえさせ、不安に陥《おとしい》れるばかりだ。二人とも、どうしたというのだ？　イアーゴー、ひどく憂《うれ》わしげな顔をしているではないか、さあ、いきさつを話してくれ。おれのためを思うなら、遠慮は要らぬ、正直に言ってもらおう。

**イアーゴー**　私には解《わか》りませぬ。二人とも、つい今の今まで、気持よく談笑しあっていたことでもありますし、いわば床入りを急ぐ花嫁花婿《はなむこ》よろしく、おたがいにいかにも楽しそうだったのが、急に、それもたった今、月にでも憑《つ》かれて気が違ったのか、剣を抜いてたがいの胸板を覘《ねら》いあうほど、激しい争いを始めてしまったのでございます。どうにもお答えいたしかねます、何が因《もと》でこのような愚かしい斬合いになりましたのか。名誉の戦場で今日までせっかく失わずに来たこの両脚、こうした場合に間にあわぬようなら、むしろ無くしたほうがましでした！

**オセロー**　どういうわけなのだ、マイケル、お前ともあろうものがこれほど前後を弁えぬふるまいに及ぶというのは？

**キャシオー**　お許しくださいまし、申しあげる言葉もございませぬ。

**オセロー** モンターノー、日頃《ひごろ》つつしみぶかいあなたのことだ、若さに似ぬ落ちつきと穏やかさ、それは世間もあまねく認めており、心ある人々の取沙汰《とりざた》も並々ならぬものがある。それが一体どうしたというのだ、そうしておのが体面をみずから傷つけ、得がたい名誉を一瞬にして投げうち、あろうことか流血夜盗の汚名を流す、その訳を聞かせていただきたい。

**モンターノー** オセロー将軍、ごらんのとおりの重傷、御麾下《きか》のイアーゴーがお話し申しあげましょう――口をきくのが辛《つろ》うございます、一層、傷口が痛みますので――あの男ならすべて私同様に承知しているはず、ただ今宵《こよい》の言動、当方にいささかの非もございませせぬ――わが身をいとうのが悪にあらざるかぎり、また襲われて身を護《まも》るのが罪にあらざるかぎり、はっきりそれだけは。

**オセロー** もはや我慢がならぬ、血が宥《なだ》め役の理性に謀反《むほん》し、感情が分別を卻《しりぞ》け、勝手気ままに突走ろうとする。一度、おれが動けば、この腕を少しでも挙げさえすれば、お前らのうち一人として助かるものはいないのだぞ。さあ、正直に言え、どうしてこんな騒ぎになったのか、張本人は誰か、その責めが明らかにされた以上、たとえその男がおれと双子の兄弟であろうと、おれはそいつと縁を切る、そう思え。なんということだ！ 戦の備えも解かれぬ町の中ではないか、島民の心はおびえきっている、それを顧みず、私憤私闘に身を委《ゆだ》ねる法があるか、場所もあろうに、夜よなか、治安を預かる夜警の詰所で！ ふざけるにも程がある。イアーゴー、事の起りはいずれの側にあるのだ？

**モンターノー** ひいき目や同僚のよしみで、事実を枉《ま》げるような男は軍人とは言えぬぞ。

**イアーゴー** 押しつけがましいことを言うな。むしろ舌を切りとられたほうがましだ、マイケル・キャシオーを罪におとすようなことを言うくらいなら。しかし、心配は要りますまい、事実を語って、どうしてそれが彼を窮地に追いこむことになりましょう。こういうわけでございます、将軍。モンターノーと私とが話をしているところへ、助けてくれという叫び声とともに一人の男が駆けこんでまいったのですが、すぐそのあとからキャシオーが抜身をひらめかしながら追いかけてまいりまして、今にもその男を突き殺さんばかりの勢い。そこで、このモンターノーが割って入り、キャシオーを押しとどめ、まあ、待てと頼む、一方、私の方は例の叫び声の男を追いかけました、というのは――結局、そのかいも無かったのですが――そいつの喚《わめ》き声で町中が大騒ぎにならぬようにと思ったからなので。が、その男、ばかに脚が早く、ついに意を達しませんでした、私はすぐ引返しました、なにしろ剣の打合う音やキャシオーの罵《ののし》り声が聞えてきたものですから。あんな騒ぎは今夜が始めてです。戻って来てみると――その間、ほんのわずかのことだったのですが――二人は一塊りになって打つやら突くやらの大喧嘩《おおげんか》、ちょうど、それがふたたび燃えあがろうとしたところへ、将軍のお出ましで、先刻御承知のとおり、お手ずからそれをお引分けになったというわけでございます。それ以上のことは、私にもさっぱり解りませぬ。いえ、人間は所詮《しょせん》人間、いかによく出来た男でも我を忘れることはありましょう。なるほど、キャシオーも多少モンターノーに楯《たて》ついたかもしれませんが、人間、誰しも怒り狂っている最中には、自分に好意をもっていてくれる者にさえ当りかねぬもの、それにしても、キャシオーは確かにあの逃げて行った男から何かひどい侮辱を受けて、どうにも我慢出来なくなってしまったのに相違ございません。

**オセロー**　もうよい、イアーゴー、いつもながらの誠実と思いやり、そうして事をやわらげ、キャシオーの罪を軽くしようという気だな。キャシオー、おれはお前を愛している。だが、もうおれの手もとに置くわけにはゆかぬ。

デズデモーナが侍者を連れて二たび登場。

**オセロー**　見ろ、何も知らぬデズデモーナまで起されてしまったではないか！　うぬ、見せしめにしてやる。

**デズデモーナ**　どうしたのでございます？

**オセロー**　もうすんだのだ。心配をするな、さあ、中へ。モンターノー、その傷は私が手当てをしてさしあげる。（侍者、数人にてモンターノーを運び去る）イアーゴー、町の見廻りを頼む、このばかばかしい騒ぎでうろたえている島民を鎮《しず》めてもらいたい。行こう、デズデモーナ。これが軍人の日常というものだ、事が起れば、安らかな眠りもいつ破られることか。（イアーゴーとキャシオーを残して、すべて退場）

**イアーゴー**　なんだ、きみもやられたのか、副官？

**キャシオー**　うむ、もうどんな手当てもきかぬ。

**イアーゴー**　馬鹿《ばか》な、何を言う！

**キャシオー**　体面、体面、体面が！　ああ、おれはすっかり体面をなくしてしまった！　わが身のうちで一番掛けがえのないものを無くしてしまい、残ったおれは獣同然。おれの体面を、イアーゴー、おれの体面が！

**イアーゴー**　おれはまた真正直に、どこかけがでもしたのかと思った、体面よりはその方がよほど痛いぞ。体面などというやつは、およそ取るにたらぬ、うわつらだけの被《かぶ》せものに過ぎない。それだけの値うちがなくても、手に入るときには手に入るし、身に覚えがなくとも、失うときには失うように出来ているのだ。第一、その体面にしても、少しも失われてなどいないではないか、自分から先に立って、それを無くしましたと触れて歩こうというなら別の話だがね。おい、しっかり頼むぞ！　将軍の心をとりもどす手はいくらでもある。免職といったところで、一時の腹だちまぎれ、いや、単に、はたへの見せしめのための罰で、本当に憎んでいるのではない。よくある手で、無辜《むこ》の犬を打って、獅子《しし》の心胆を寒からしむというやつさ。もう一度、お願いしてみろ、きっと思いどおりになる。

**キャシオー**　どうせお願いするなら、軽蔑《けいべつ》してくれるようにと頼む、尊敬する上官を欺《あざむ》いて、軽挙妄動《もうどう》の酔っぱらい士官を売りこむ気にはなれぬ。飲んだくれる！　管をまく！　摑《つか》みあいをする！　喚く！　罵る！　自分の影を相手に大ぼらを吹く！　あ、畜生、どこにいるのだ、酒の神め、まだ名前がないなら、悪魔と呼んでやるぞ！

**イアーゴー**　あの男は一体なんだ、抜身で追廻したりして？　きみに何をしたというのだ？

**キャシオー**　知らない。

**イアーゴー**　そんなものかな？

**キャシオー**　色々思いだすのだが、どうもはっきりしない。喧嘩したことだけは確かだが、どうしてそうなったのか皆目わからないのだ。ああ、人間というやつは！　わざわざ自分の敵を口の中へ流しこんでまで、おのれの性根を狂わせようとする、はしゃいで、いい気持になって、底ぬけ騒ぎを演じて、われとわが身を獣と化せしめるのか！

**イアーゴー**　そうおっしゃるが、もうすっかりいいではないか。どうしてまた、そう簡単に癒《なお》ってしまったのだ？

**キャシオー**　それも、酔払いの悪魔の気まぐれ、勝手に暴れておいて、あとは癇癪《かんしゃく》の悪魔に肩代りさ。一つ欠点が引きこめば、また別のが出て来る、つくづく自分がいやになるよ。

**イアーゴー**　もういい、きみはあまりまじめすぎる。なるほど、時といい場所といい、また現在の国情から言っても、こんなことは起らぬに越したことはないとは思う。しかし、かくなればかくなったで、あとは精々おのれのためかくなれかしと計るほかはないさ。

**キャシオー**　もう一度、将軍に復職を頼んでみることにしよう、所詮は、この飲んだくれめがとお叱《しか》りを受けるに決っているのだが。このおれが、たとえハイドラほどにたくさんの口があろうと、それを言われれば、一言もない。今の今まで正気でいたかと思うと、それがたちまち馬鹿になり、またたく間に三転して獣になる！　摩訶不思議《まかふしぎ》とはこのことだ！　飲みすぎの杯に呪《のろ》いあれ、その中には悪魔が身をひそめているのだ。

**イアーゴー**　まあ、そう言うな、酒は結構身のためになる、要は用いかた次第、あまり悪口は言わぬほうがいい。ところで、副官、解っているだろうとは思うが、これでもおれはきみのためを思っているのだ。

**キャシオー**　それは解っている。ああ、酔払うなどと！

**イアーゴー**　きみばかりではない、人間、生きていれば、時には酔っぱらいもするさ。さて、どうしたらよいか、ひとつ方法を御伝授しよう。われらの将軍だが、その奥さんが今では将軍、ま、そう言ってもよかろう。というのは、現在、将軍は寝ても醒《さ》めても奥方の才智《さいち》とたおやめぶりに心を奪われ、ひたすらその顔色をうかがっている有様だからな。きみの気持を憚《はばか》るところなく奥方に打明けるのだ、奥方の力添えでなんとか復職できるように頼んでみるのが一番だ。あの人は気さくで思いやりが深く、頼まれたらなんでも否《いや》とは言えない、まことに尊敬すべき気性の持主で、人に求められたら、それ以上のことをしてやらなければ、良心がとがめて仕方がないというところがある。今度の事件は、きみと将軍との間の、いわば関節が外れてしまったというも

〔II-3〕6

のだが、こいつはひとつ奥さんに副木《そえぎ》を当ててもらったらいい。全財産を賭《か》けてもいいね、一度ひびがはいっただけに、将軍との間は前よりうまくゆくに決っている。

**キャシオー**　よいことを教えてくれた。

**イアーゴー**　信じてくれ、心からきみのためになれかしと思えばこそだ。

**キャシオー**　解っている、夜が明けたら早々にデズデモーナ様にお目にかかって、なんとか力を貸していただくようにしよう。それでもだめなら、おれは自分の運に見切りをつける。

**イアーゴー**　やっと正気にもどってくれたな。では、お引取りを、副官、おれはまだ夜警を続けなければならない。

**キャシオー**　では、おやすみ、イアーゴー。（退場）

**イアーゴー**　さてと、おれの役廻りはさしずめ悪党のそれだとおっしゃるなら、そういうお方はどこのどなたかね？　おれの忠告たるや、どこまでも開け放しで誠実で、理窟《りくつ》としても筋が通っている、事実、ムーアの機嫌《きげん》をとりもどす唯一《ゆいいつ》の道でもあるからな。なんと言っても、気のいいデズデモーナのことだ、誠実一方泣き落しの一手で攻めるに限る。その素直なること、水の器に随《したが》うがごとしだ。しかも、ムーアは完全にその掌中にある、たとえ洗礼を取消し、罪の贖《あがな》いなどという信仰を一切合財捨ててしまえと言われようと、すっかりあの女の虜《とりこ》になっている奴《やつ》のことだ、女にしてみれば、こうしろ、ああするなと思いのままに操れる、言ってみれば、神のごとく自分の意思を、あの呆《ほう》けた魂の上に乗り移らせることが出来る。それなら、どうしておれが悪党なのだ、キャシオーにすすめて、いずれは奴のためにもだめにもなる特効薬を一服盛ってやっただけではないか？　悪魔の神学談義とはこのことか！　悪魔が極悪無《む》慚《ざん》の罪をそそのかそうというときは、まず最初は天使の姿を借りて誘いをかけるという、今のおれがそれだ。つまり、こういうわけさ、あの真正直な阿呆《あほう》はデズデモーナに頼んで自分の運の繕いに懸命になる。一方、女の方は奴のためにムーアをしっこく口説く。その間、おれはムーアの耳に毒薬を注ぎこんでやる、奥方があの男を呼びもどそうとなさるのは、ほかでもない、御自分の欲からなのだとな。そうすれば、女が奴のために躍起になればなるほど、ムーアの信用を損うことになる。あの女の善意を変じて毒と化すというわけさ。こうして、あの女のなさけの糸で網を張って、一挙に獲物《えもの》を引上げてやろうという腹づもり。

ロダリーゴーがはいって来る。

**イアーゴー**　やあ、どうした、ロダリーゴー！

ロダリーゴー　おれはきみのお供で、こんなところまで女のあとを追いかけては来たものの、どう考えても獲物を駆りだす猟犬という柄ではないよ、ただお仲間入りで遠くから吠《ほ》えたてているだけの一匹だ。金はほとんど使いはたしてしまったし、今夜はひどいめに遭わされるしで、つまりはこういうことらしいな、痛い思いをした代りに十分経験も積んだ、財布を空にして智慧《ちえ》を少々仕入れた、この辺でヴェニスに舞いもどれということだろう。

イアーゴー　忍耐を知らぬ者は貧しきなりか！　およそ傷と名のつくもので、すぐ癒るものがあるか？　いいかね、おれたちの頼りにすべきは自然の理法だ、決して魔法ではない。しかして自然の理法は遅々たる時の流れに基づくものだ。うまく行っていない？　なるほどキャシオーはお前さんをなぐった、しかし、お前さんの方はその小さな傷を代償にキャシオーを追払ってしまった。あとは万事、日当り次第、ただ最初に花をもつやつが一番さきに実をつけるだけの話さ。もうしばらくの辛抱だ。驚いた、もう朝だぞ。楽しんで動きまわっていると、時間のたつのも忘れる。さあ、お開きだ、所属の部署に帰っていろ。行けというのに、いずれあとで色々話してやる。もういい、帰れ。（ロダリーゴー退場）手始めにかたづけておかなければならないことが二つある、まず女房を取持役にしてキャシオーをデズデモーナに会わせることだ――ひとつ女房をけしかけてやろう――おれの方はその間ムーアをよそに連れ出しておき、頃合いを見はからって、キャシオーが奥方に哀訴歎願《たんがん》している真唯中《まったただなか》へ不意に乗りこませればいい。そうだ、それに限る、せっかくの名案、冷めて手遅れにならないうちに、手取り早くとりかかるとしようか。（退場）

7　〔第三幕 第一場〕

砦《とりで》のオセロー宿所前

キャシオーと楽士数人が登場。

**キャシオー**　楽隊はここでやってくれ。骨折賃は十分に払う。始めに何か短いものを一曲、それから「お早うございます、将軍」と御挨拶《あいさつ》申しあげるのだ。（音楽）

道化（オセローの従者）登場。

**道化**　なんてことだ、楽隊屋さん。ナポリへ行って、楽器に例の悪い病気でも背負わせてきたのかね、どれもこれも鼻にかかった音を出しているじゃないか？

楽士の一　どうして、どこがそんな？

道化　恐れながら、そいつにはみんな、ぶうっと風の出る穴が開いてはおりませんかね？

楽士の一　さよう、そのとおり、みんな穴が開いております。

道化　ははん、道理で、そこに問題の一件ありというわけか。

楽士の一　どこに問題がございますので？

道化　決っている、ぶうっと風を出す穴のそばには、かならず例の一件ありで、そいつが始終問題を起す。ところで、楽隊屋さん、これがお駄賃《だちん》。将軍には諸君の音楽を大層お喜びになり、後生一生の頼みだ、もうこれ以上音をたてないでほしいとの仰《おお》せだ。

楽士の一　承知いたしました、それでは、もうこれで止《や》めということに。

道化　もちろん、聞えない音楽があったら、やってもらってもいい、しかし、将軍は、総じて音楽はあまり好まれぬほうだがね。

楽士の一　聞えない音楽はあいにく持合せがございません。

道化　それなら笛を袋に納めることだ、おれは帰るからな。行け、失《う》せろ、空気のなかに、消えてしまえ！（楽士たち退場）

7〔III-1〕

**キャシオー**　おい、おい、きみに頼みがあるのだが？

**道化**　どういたしまして、おれには頼みなど全然ないね。

**キャシオー**　そろそろ揚足取りは止めにしてくれ。さ、少ないが駄賃だ。将軍の奥様をお世話している女の人がいるだろう、もし起きていたら、キャシオーという男が待っている、是非話したいことがあるのだが、と取次いでくれ、頼む。

**道化**　もう起きておいでですよ。こちらへおいでになったら、さようお伝え申しましょう。

**キャシオー**　そうしてくれ、頼んだぞ。（道化退場）

イアーゴー登場。

**キャシオー**　いいところへ来てくれたな、イアーゴー。

**イアーゴー**　ゆうべは寝ていないな、その様子では？

**キャシオー**　もちろんだ、もう夜が明けていたもの、別れたときには。実はいま少々常軌を逸したことをやってのけたところさ、イアーゴー、きみの奥さんを呼びにやったのだ。頼みというのは、デズデモーナ様に近づけるよう、なんとか取計らってもらおうと思って。

イアーゴー　女房なら、すぐここへ来させるようにしよう。おれの方はムーア将軍を外へ連れだす工夫をする。そうすれば、きみも落着いて用談が出来るだろうからな。

キャシオー　心から礼を言う。（イアーゴー退場）フローレンス人にも、あれほど深切で誠実な男はいないな。

エミリア登場。

エミリア　お早うございます、副官、この度の御不興、お気の毒にぞんじております。でも、やがてめでたく納まりましょう。唯今もお二方の間にそのお話が出ておりましたが、奥様は大層根気よくお取りなしになっておいででございました。ムーア様のお言葉では、怪我《けが》をなさった当の御相手が、このサイプラス島では名だたるお方、それに立派な御親戚《しんせき》も控えておいでのことではあり、穏やかに事を運ぼうとすれば、ここはひとまずあなたをお卻《しりぞ》けするほかに手だてはないとのこと。でも、はっきりこうおっしゃっておいででした、日頃《ひごろ》から目をかけている男のことだ、わざわざ人に頼まれるまでもない、適当なおりさえあれば、われから望んで復職させてやるつもりでいると。

キャシオー　それにしても、頼む、まずいだろうか、もっとも出来ぬことなら仕方はないが、なんとかお口ぞえのうえ、ほんの二言三言でよいから、デズデモーナ様と二人だけで話が出来るように取計らってもらいたいのだが。

**エミリア** どうぞ、こちらへ。お胸のうちを誰憚《はばか》らずお話しになれる場所へ御案内申しあげましょう。

**キャシオー** 恩に着ます。(二人退場)

〔第三幕 第二場〕

8

砦の一室

オセロー、イアーゴー、島の有力者たち登場。

**オセロー** イアーゴー、この書面を船長に渡し、議官一同によろしく申しあげるようにと言え。それがすんだら、砲台のあたりを歩いているから、そこへ来てくれ。

**イアーゴー** は、承りました、そういたします。(退場)

**オセロー** ひとつ、皆で要塞《ようさい》を見て廻《まわ》ろうではないか?

**有力者一同** 喜んでお伴《とも》いたしましょう。(一同退場)

〔第三幕 第三場〕

9

砦の前

デズデモーナ、キャシオー、エミリアが出て来る。

**デズデモーナ** 御安心なさいまし、キャシオー様、力の及ぶかぎりおためをお計りいたしましょう。

**エミリア** 奥様、是非そうしてさしあげてくださいまし。主人もわが事のように思い煩《わずら》っておりました。

**デズデモーナ** そうでしょうね、誠実な人だから。御心配なさいますな、キャシオー様、主人とのことはきっと今までどおりうまくゆくようにしてさしあげます。

**キャシオー** おなさけは忘れませぬ。この身にどのようなことが起りましょうとも、奥様にはつねに忠実な下僕のマイケル・キャシオーにございます。

**デズデモーナ** 解《わか》っております、お礼を申しあげます。あなたにしても主人のためを思っておいでだし、長いおつきあいで人柄《ひとがら》はよくごぞんじのはず、御安心なさいまし、

9〔III-3〕

あの冷たいそぶりも、いわば世間への慮《おもんぱか》り、ただそれだけのことでございましょう。

**キャシオー**　は、しかし、その世間にたいする慮りも、長く続けば、つい取るに足らぬ摘《つま》み物《もの》に口を汚《よご》すこともございましょうし、思いもかけぬ小事を餌《えさ》に大いに肥え太らぬとも限りませず、そうなりますと、この身はお側《そば》におられぬことですし、代りも出来たとなれば、自然、将軍は私の忠節も真心も忘れておしまいになりましょう。

**デズデモーナ**　御心配は要りませぬ、エミリアに証人になってもらいましょう、復職については、私に責任を負わせていただきます。御安心なさいまし、一度友情をお誓いした以上、どこまでもお尽しするつもりでおります。主人には片時の休む間も与えないことにいたしましょう。こちらの思いが適《かな》うまでは、夜も眠らせず、根負けするまで話を止めませぬ、主人の寝間は教室、食卓は懺悔《ざんげ》の場所、そのすることなすこと一つ一つに、キャシオー様のお願いを合いの手よろしく織りまぜて頼んでみましょう。さあ、元気をお出しになって、キャシオー様、一旦《いったん》弁護をお引受けいたしました以上、命に代えても、御希望を通してお目にかけましょう。

オセローとイアーゴーの姿が見える。

**エミリア**　奥様、あそこに旦那《だんな》様が。

キャシオー　私はこれで失礼を。
デズデモーナ　いえ、ここにいらして、どうぞそばで聴いていらしてくださいまし。
キャシオー　奥様、今は困ります、ひとえに心が重く、私事をお願い申しあげる気にはなれませぬ。
デズデモーナ　それなら、お心のままに。（キャシオー急ぎ去る）
イアーゴー　あ！　悪いところへ。
オセロー　何が？
イアーゴー　いえ、何も。それとも、もし——いや、私には解りませぬ。
オセロー　いま話していたのはキャシオーではなかったか？
イアーゴー　キャシオーですと？　いや、まさか、そんなはずはございますまい。キャシオーなら、将軍がおいでになるのを見て、ああもうしろめたそうに逃げて行く必要はないはずです。
オセロー　確かにあの男だったぞ。
デズデモーナ　まあ、あなた！　実は、今ここで、あるお方の願いごとを聞いておりました、あなたの御不興を買って大層悩んでおいでの方の。
オセロー　誰のことだ？

**デズデモーナ** それが、あなたの副官、キャシオー様。お願い、私にお心を動かす徳や力があるならば、すぐにもお怒りを解いてくださいまし。そうでございましょう、あの人は心からあなたのおためを思うておいでですし、かりに過ちを犯したにしても、根は邪気も悪気もないお方、それはあの誠実なお顔を見れば解ります。どうぞ、あの人を呼びもどしてあげてくださいまし。
**オセロー** 今まであれと話していたのか？
**デズデモーナ** ええ、そう、すっかりしおれておいでになって。そのお気持がうつったせいか、私まで辛《つら》くなってしまいました。本当に、呼びもどしてあげてくださいまし。
**オセロー** 今はまずい、デズデモーナ、改めてまた別のおりに。
**デズデモーナ** でも、すぐにしていただけます？
**オセロー** なるべく早くする、ほかならぬあなたの頼みだからな。
**デズデモーナ** 今夜、お食事のときでは？
**オセロー** いや、今夜はだめだ。
**デズデモーナ** では、あした、お昼のときに？
**オセロー** あすの昼はうちではしない、砦で士官たちと会食することになっているの

〔III-3〕9

だ。

**デズデモーナ** それなら、あしたの夜、でなければ火曜の朝、ええ、お昼のときでもよろしいの、夜でも、水曜の朝でも結構。お願い、決めておいて。でも、せめてこの三日のうちにしてくださいまし。本当に、あの人、悔いていらっしゃるのです。それに、罪を犯したと言っても、普通に考えれば――それは、私も聞いております、戦争となれば、むしろ勇者を罰して全軍の見せしめとしなければならぬとか――でも、あれはほとんど過ちとも言えぬささいな行き違い、さまでお責めにならなくともとぞんじます。いつ来てもらいましょう？　お答えになって、オセロー様。私、きょうまで、何かしてくれとおっしゃられて、それをお断わりしたり、御返事をためらったりしたことがあるかしら。そうだった！　ほかの人ならいざ知らず、あのマイケル・キャシオーのことなのよ、あなたが結婚の申込みにおいでになったとき、一緒に来てくれた人、そしてあなたのことを悪く言うと、その度にあなたの身方になって私をたしなめてくれた人――その人を呼びもどそうとするのに、これほど手間をかけなければならないのかしら！　いずれお解りになります、私、いざとなれば――

**オセロー** 頼む、もう止めてくれ。いつでもよいから、あれを来させなさい。あなたには何も断われない。

デズデモーナ　まあ、お願いというほどのことでもありませんのに。たとえば、手袋をおはめになったほうがとか、身になるものを召しあがったほうがとか、お体を温かくしておいでになったほうがとか、とにかくあなたのおためになるようなことをおすすめしているのですもの。本当よ、もしあなたのお心をためすようなお願いごとがしたいのなら、それこそ重大なむずかしいことを持出すでしょうよ、うっかり許したら大変だというようなことを。

オセロー　あなたに向っては何も断われない。それで、こちらにも頼みがあるのだ、勝手だが、しばらく一人にしておいてくれぬか。

デズデモーナ　私がそれをお断わりするとでも？　いいえ、では、またあとで。

オセロー　あとでな、デズデモーナ、すぐ行く。

デズデモーナ　エミリア、行きましょう。どうぞお心のままに。それがどうあろうと、私はお心に随《したが》います。（エミリアと共に去る）

オセロー　かわいい女だ！　どのような呪《のろ》いも厭《いと》わぬ、もしおれがお前を愛さぬようなときが来るなら、このおれがいつの日にかお前を愛さぬようなことになるならば、世界はふたたび天地を分たぬ原始の闇《やみ》に逆もどりだ。

イアーゴー　将軍――

オセロー　何か言ったか、イアーゴー？
イアーゴー　マイケル・キャシオーのことですが、将軍が奥様に結婚を申込まれたとき、あの男は当時の将軍の御心中をぞんじあげておりましたろうか？
オセロー　もちろんだ、始めから終りまで何もかも知っていた。どうしてそれを訊《き》くのだ？
イアーゴー　いや、少々得心できぬことがございましたので。別に他意はございませぬ。
オセロー　一体、何を得心したいのだ、イアーゴー？
イアーゴー　あの男が前々から奥様をぞんじあげているとは知りませんでした。
オセロー　いや、そうなのだ、二人の間をよく往《ゆ》き来《き》してくれたものだ。
イアーゴー　そうでしたか！
オセロー　そうでしたか？　うむ、そうだった。それがどうかしたと言うのか？　あれは誠実な男ではないか？
イアーゴー　誠実、とおっしゃるのですか？
オセロー　誠実と言うかと？　うむ、誠実な男だ。
イアーゴー　そうおっしゃられれば、確かに。

オセロー　一体、お前は何を考えているのだ？
イアーゴー　考えているかと？
オセロー　考えているかと！　どうしたというのだ、口まねばかりしているではないか。何か奇怪な想《おも》いに憑《つ》かれ、それを口に出すのも恐ろしいというふうに見える。何か訳があるようだな。ついさっきも「悪いところへ」と言ったな、キャシオーが出て行くのを見てそう言った。何が「悪いところ」なのか？　そればかりではない、結婚のときに終始あの男を相談相手にしたと言ったとき、お前は思わず「そうでしたか！」という言葉をもらし、そうしてぐっと眉根《まゆね》に皺《しわ》を寄せ、辛《かろ》うじて恐ろしい観念を脳中に閉じこめえたという様子を見せた。おれのためを思ってくれるなら、考えていることを包まず話してくれ。
イアーゴー　将軍、すべておためを思っての真心、すでに御承知のこととぞんじます。
オセロー　そう思う、おれも承知はしている、お前の真心、誠実、軽々に言葉を弄《もてあそ》ばぬ重厚な性格、それだけにお前の口ごもるような度々の言いさしがおれの心を騒がせるのだ、当然ではないか、これが不義不忠の輩《やから》なら、人を陥《おとしい》れるときによく用いる手とも言えよう。が、心の正しい人間の場合には、心中ひそかに憤《いきどお》るところがあり、それがいかにも抑えがたきときに、そのような様子を見せるものだからな。

**イアーゴー**　マイケル・キャシオーのことでしたら、誓って申します、あれは誠実な男だと思っております。
**オセロー**　おれもそう思う。
**イアーゴー**　人間、誰しも見かけどおりのものであるべきはず、そうでない奴《やつ》がいるとしたら、それなら、そいつはそうでないように見えてもらいたいものです！
**オセロー**　言うまでもない、人間、誰しも見かけどおりのものであるべきだ。
**イアーゴー**　それでしたら、キャシオーは誠実な男だと思います。
**オセロー**　止《や》めろ、まだ何かあるな。よいから、思うままを、自分自身に語りかけるつもりで話してくれ、遠慮は要らぬ、この上もない忌《いま》わしいことを、この上もない忌わしい言葉で語ってのけるがよい。
**イアーゴー**　将軍、それはお許しいただきとうございます。これが職務上の御命令なら、どのようなことであろうと、必ずお言葉に随いましょう。しかし、奴隷《どれい》すら許されている自由を捨てるわけにはまいりませぬ。胸中の考えを語れとおっしゃる！　が、その考えが邪《よこしま》であり偽りであったとしたら――早い話が、たとえ宮殿といえども、時に穢《けが》らわしいものが入りこまずにはすみますまい？　いかに高潔な心情の持主とはいえ、その胸のうちに卑《いや》しい邪念が忍びこみ、正義と共に坐《ざ》して裁きの庭を左右するときがないとは申せますまい？

**オセロー**　お前の態度はおのれの知己を裏切るものだぞ、イアーゴー、その男がみすみす不当な目に会わされているのを知りながら、それと知らせず、つんぼにしておこうというのだからな。

**イアーゴー**　では、お断わりしておきますが――私のは単なる想像で、これが結構見当ちがいに終ることがございまして、というのは、何もかも洗いざらい申しあげてしまいますが、いわば私の悪い病気で、とかく他人の弱点に首を突きこみたがる、時には嫉妬《しっと》のあまり、そこに在りもしない過ちをこしらえあげてしまう――そんなわけでして、出来れば、私の不確かな臆測《おくそく》などには耳をお貸しにならぬよう、また出まかせにもひとしい、いいかげんな観察にお心を労されたりなさらぬよう、ここは御賢慮が何よりとぞんじます。つまり、お心を乱し、おためにもならず、またこの身にとっても男らしさ、誠実、分別の美徳を台なしにしてしまうようなことは、あえて口に出さぬがよろしくはないかとぞんじます。

**オセロー**　一体、何が言いたいのだ？

**イアーゴー**　男女の別を問わず、名誉というやつは、もうそれだけで何物にも代えがたい宝物と申せましょう。これが財布のようなものでしたら、盗まれたところで、それだけの話――大事と言えば大事かもしれませぬが、小事と言えば小事に過ぎない。私の所有だったものが、今はそいつの所有に帰したというだけのことでして、所詮《しょせん》、金は天下の廻《まわ》り持ちでございます。しかし、これが名誉となると、それを私から盗み取ったからといって、相手には一文の得にもならないくせに、この私には大損ということになります。

**オセロー** 何を考えているのか、言わさずにはおかぬぞ！

**イアーゴー** 断じて申しませぬ、たとえ私の心をそのお手の中に握っておられようと、それればかりは。まして自分の掌中にあるかぎり、そうは参りませぬ。

**オセロー** はっ！

**イアーゴー** 将軍、恐ろしいのは嫉妬です。それは目《ま》なじりを緑の炎に燃えあがらせた怪獣だ、人の心を餌食《えじき》とし、それを苦しめ弄ぶのです。たとえ妻を寝とられても、すべてを運命と諦《あきら》め、裏切った女に未練を残さぬ男は、むしろ仕合せと言うべきでしょう。しかし、これほど辛いことはありますまい、愛して、なお信じえず、疑って、しかも愛着する、そういう日々を一刻一刻かぞえながら生きねばならぬとしたら！

**オセロー** ああ、それほどみじめなことが！

**イアーゴー** 貧にして足る者は富める者、むしろ大いに富んでいると申せましょう。

一方、限りなき富を有しながら、貧寒なること冬枯れのごとき者もある、絶えず貧への転落におびえているからです。人間、出来ることなら、嫉妬からだけは免《まぬか》れていたいものです！

**オセロー**　どうして、どうしてそんなことを言うのだ？　このおれが日夜嫉妬に苦しめられて暮すようになるというのか、月の満ち干《ひ》につられて、疑いの雲をつのらせるおれと思うのか？　馬鹿《ばか》な、一度、疑いが起れば、たちどころにそれを解いて見せよう。臆病者の山羊《やぎ》ではあるまいし、このおれが、貴様の言う、そんな、吹けば飛ぶような、根も葉もない想像に心を煩わす男と思うのか。おれは容易なことでは嫉妬に駆られなどせぬ。妻が美しいと言われようと、客好きの話上手で、歌や踊りがうまいと言われようと、なんのことはない、もともと貞淑なあれのことだ、ますますそれに光を添えることになろう。もちろんおれ自身の弱点を物差しに、あれが裏切りはせぬかなどと、そのような危惧《きぐ》はつゆ懐《いだ》いたこともない、おれを選んだあれの目を信じているからだ。見そこなうな、イアーゴー、おれはまずこの目で見る、見てから疑う、疑った以上、証拠を摑《つか》む、あとは証拠次第だ、いずれにせよ、道は一つ、ただちに愛を捨てるか、嫉妬を捨てるか！

**イアーゴー**　そう伺って安心いたしました。おかげで、日頃《ひごろ》、懐いておりますす忠誠の念を、憚《はばか》るところなくお示しできるように思われます。以下、ひとえにおためを思う者の言葉としてお聴取りいただきとうぞんじます。もっとも、今のところ証拠というほどのものはございません。奥様にお気をつけになるよう、ことにキャシオーと御一緒の時を御注意なさいまし。何より、よく御覧になることです、頭からお疑いになるでもなく、さればと申して、あまり高をおくくりにならずに。私としても、将軍の自由高邁《こうまい》な御気性が、時にお気のよさとなって、みすみす欺《あざむ》かれるのを黙って見過すわけにはまいりませぬ。くれぐれも御用心を。私は同国人の気風をよく承知しております。ヴェニスの女はいたずら好きで、神様には大ぴらのくせに、亭主にはあくまで隠しとおすというところがある、その最高の道徳というのは、犯すなかれではなく、知らしむなかれということなのでございます。

**オセロー**　嘘《うそ》は言わぬな？

**イアーゴー**　お父上の目を欺き、将軍と結婚なさったお方です。将軍のお顔を見て震えおののいておられた、はた目にそうとしか見えなかったときが、実は一番将軍をお慕いしておいでのときだった。

**オセロー**　そうだった。

**イアーゴー**　それなら、よろしいですか、まだお若いのに、そういう見せかけがお出来になるお方なら、それもお父上の目をくらますためで、お父上の方ではそれをてっきりまじないのためと思いこんでおられたくらいですから——いや、つい言葉が過ぎました、お許しいただきとうぞんじます、それもおためを思うあまりのことではありますが。

**オセロー**　好意は生涯《しょうがい》、忘れぬ。

**イアーゴー**　どうやらお心を傷つけたように思われますが。

**オセロー**　そんなことはない、決してそんな。

**イアーゴー**　いえ、確かにそのように。いま申しあげたことも、畢竟《ひっきょう》、私の真心から発したものと思召《おぼしめ》しくださいますように。とは申せ、やはりお心をお騒がせしたように見受けられます。重ねてお願いしておきますが、私の言葉からさらに明白な結論をお引出しになったり、事を大きくお拡《ひろ》げになったりしては困ります、あくまでその疑いがあるという程度におとどめおきくださいまし。

**オセロー**　そのようなことはせぬ。

**イアーゴー**　万一、そうなりますと、そこからとんでもない忌わしい結果が生じ、私の思いもよらぬことが起らぬとも限りませぬ。キャシオーは私の大事な友人です——将軍、やはりお心をお騒がせしたとしか思われませぬが。

オセロー　なに、さほどのこともない、何も考えてはおらぬ、デズデモーナは誠実な女だということのほかには。
イアーゴー　その奥様のお心の永遠に変らぬことを祈ります！　そして将軍のお考えもまた永遠に変りませぬように！
オセロー　だが、解《わか》らぬ、どうして自然がこのような過ちを――
イアーゴー　は、そこに問題が、たとえば――忌憚《きたん》なく申しあげますが――早い話が、数ある申込みに見向きもしないということ、それがいずれも同国の生れ、肌《はだ》の色、身分も同じ男ばかり、それこそ、あらゆる点で自然の配合というべきものなのですから――ふふん！　誰しも、こいつは臭いと思います。なにか厭《いや》らしい感じがする、歪《ゆが》んだものがある、考え方も不自然だ。いや、お許しくださいまし、なにも奥様がそうだとはっきり申しあげるつもりはございませぬ。ただお気持が鎮《しず》まり、やがて正常な分別を取りもどされたあかつき、ふとしたことで将軍を同国の優男《やさおとこ》にひきくらべて、あるいは後悔なさることがないとは申せますまい。
オセロー　行け、もうよい。ほかに気のついたことがあったら、なんでも知らせてくれ。エミリアを目附役《めつけやく》に頼む。行け、イアーゴー。
イアーゴー　将軍、では、失礼を。（去る）

**オセロー**　おれはなぜ結婚などをしたのだ？　あいつは誠実な男だ、嘘は言わぬ、まだ色々見聞きしていることがあるに違いない、あれだけではあるまい、まだあるはずだ。

イアーゴーが二たび戻って来る。

**イアーゴー**　一言、お願いしておきたいことがございます、このことはこれ以上、御穿鑿《せんさく》なさらぬほうがよろしいと思います。あなた任せにしておくに限ります。なるほどキャシオーの復職は当然でございましょう――あの男なら立派にその役目を果しおおすに違いありません――が、なろうことなら、現状のまましばらくお近づけにならないでおいたほうが、その人柄《ひとがら》も遣《や》り口《くち》もよくお解りになるだろうと思います。また、その間、奥様の方から執拗《しつよう》に復職のお願いがくりかえされるかどうか、その点もお見のがしにならぬよう――そこにはまた色々お解りになることがあるはずです。それまでは、邪推ぶかい男の単なる思いすごしとお聞きすて願います――われながらそう思われても仕方のないところが確かにございますし――したがって、奥様にはなんの罪もないということに。

**オセロー**　心配するな、誰が取乱すものか。

イアーゴー　では、もう一度、これで失礼を。(去る)

オセロー　あの男、誠実の点では人後に落ちぬ。それに、世事にかけては目から鼻に抜けるほどよく通じている。あの女、所詮は野の鷹《たか》、この心臓を餌《えさ》に飼いならしてやろうと思っていたおれだが、そうと見きわめがついたら、口笛を一吹き、いさぎよく解き放ってやるばかりだ、追風にのり気随気ままに餌を漁《あさ》りまわるがよい。おそらく黒人だからであろう、優男のみやびな物腰をもたぬからであろう、あるいは齢《とし》も峠を越したため――というほどでもないが――そんなことから、あれの心はおれを去ってしまったのだ。おれはだまされた。おれの救いはあの女を憎むことにしかない。ああ、呪《のろ》われるがいい、結婚などというものは、好きな女を自分のものにしておきながら、その心はどうにもならぬのだ！　むしろひき蛙《がえる》にでもなって、地下の穴蔵の湿気でも吸っていたほうがまだましだ、愛する者を人の自由にさせて、自分はそのお余りを頂《ちょう》戴《だい》しているよりはな。だが、それも優越者の当然受けねばならぬ呪いなのだ、劣った者に比べれば恵まれるところ薄きは当然、それこそ、死と同様、避けるに避けがたい宿命。そもそも胎内にあるときから、額に角を生やすよう呪われ運命づけられているのであろう。おお、デズデモーナが来る。あの女が不義をする、おお、それなら、天はみずからを欺くものだ！　おれには信じられぬ。

デズデモーナとエミリアが二たび登場。

**デズデモーナ** どうなさいました、オセロー様！ お食事の時間ですのに。お招きした島のお客様も、さきほどからあなたの御着席をお待ちになっていらっしゃいます。

**オセロー** すまなかった。

**デズデモーナ** どうかなさいまして？ お声に力がないようですけれど、どこかお悪いのでは？

**オセロー** 額が、この辺が痛むのだ。

**デズデモーナ** ああ、ゆうべろくにお寝《やす》みにならなかったから、それなら、すぐに癒《なお》りましょう。そこをきつく縛ってさしあげます、そうしておけば、一時間もたたないうちに、すっかり楽におなりになる。

**オセロー** その裂《き》れでは小さすぎる。（ハンカチーフをはずす、それをデズデモーナが落す）放っておけ。さあ、一緒に行こう。

**デズデモーナ** どうしましょう、御気分がお悪いのね。（オセロー、デズデモーナ退場）

**エミリア** よかった、ハンカチーフが手にはいって。これは奥様がムーア将軍からお貰《もら》いになった最初の記念品、それを、うちの気紛《きまぐ》れ亭主ときたら、ひとの顔さえ見れば、盗んで来い、盗んで来いとうるさくせがんでいたっけ。でも、奥様はこの形見の品を大層大事にしておいでだった。いつまでも肌身はなさず持っているようにと将軍がおっしゃったとか、それで、かたときもお手を離さず、口づけなさったり、お話しかけになったりしていらっしゃったものだけれど。早速、模様を写しとって、それをイアーゴーにやりましょう。一体どうするつもりか、私の知ったことではない。私の知っているのは、どうしたらあの人の気紛れを満たしてやれるか、ただそれだけなのだもの。

イアーゴー、ふたたび登場。

**イアーゴー** やあ、お前か！　一人で何をしているのだ？

**エミリア** 怒ることはなくてよ、あなたのほしがるものがあるの。

**イアーゴー** おれのほしがるもの？　おれだけではあるまい、どうせ――

**エミリア** ふうん！

**イアーゴー** おれだけではないと言うのさ、足りない女房で満足しているのは。

**エミリア** もう、それだけ？　どんなお返しがいただけるかしら、例のハンカチーフが手にはいったら？

イアーゴー　ハンカチーフって、どの？
エミリア　ハンカチーフって、どの！　そら、ムーア将軍が始めてデズデモーナ様にお贈りになったでしょう？　盗んで来いと何度も言っていたくせに。
イアーゴー　盗んで来たのか、あれを？
エミリア　いいえ、まさか。奥様がうっかりお落しになったの。それを、うまい具合に、私が居あわせて拾ったというわけ。そら、これがそう。
イアーゴー　出来《でか》した、女房、よこせ。
エミリア　これをどうする気、失敬して来いと、随分しつこくせがまれたけれど？
イアーゴー　（引きたぐって）お前の知ったことか。
エミリア　別に目的がないのなら、返して。お気の毒に、奥様はそれが無いと知ったら、気が違っておしまいだろうものを。
イアーゴー　お前は知らぬ顔をしていればいい。こちらにはちゃんと使い道があるのだ。さ、向うへ行っていろ。（エミリア、去る）キャシオーの部屋にこの裂《き》れを落しておく、それを奴《やつ》に拾わせる。空気のように軽いものが、嫉妬に憑《つ》かれた男には、聖書の言葉と同じ重みをもってくる。こんなものでも結構、役にたとうというものさ。ムーアの奴、早くもおれの毒が効きはじめている。邪推にはもともと毒がひそんでいる、そいつが始めは嫌《いや》な味がしない。しかし、ちょっとでも血の中に浸《し》みこむと、たちまち硫黄の山のごとくに燃えあがるのだ。

オセロー、二たび登場。

**イアーゴー** それ、言ったとおりだ、奴が来る！ 阿片《あへん》、マンドラゴラ、そのほか世にあるどんな眠り薬を飲もうが、効きっこなし、きのうまで貴様を見舞ったあの安らかな眠りは二度と訪れるものか。

**オセロー** はっ、はっ！ おれを裏切って不義をしたと？

**イアーゴー** もし、どうなさいました、将軍！ あのことはもうお忘れになったほうが。

**オセロー** うせろ！ 行ってしまえ！ よくもおれを拷問台《ごうもんだい》にかけおったな。だまされていたほうがずっとましだった、なまじ少しばかり知らされるくらいなら。

**イアーゴー** どうなさったのです、将軍！

**オセロー** あれが人目を忍んで不義の歓楽に耽《ふけ》っているなどと、気ぶりにもそのようなことが感ぜられたろうか？ 見もしなかった、夢にも思わなかった、当然、おれはなんの苦痛も感じはしなかった。明けてその夜もよく眠り、よく食い、大いに楽しかった。あれの唇《くちびる》に印されたキャシオーの口づけの跡に気づかなかったおれだ。盗まれて、失われたものに気づかぬ男には、それを知らせてやることはない、そのまますめば、何も盗まれぬのと同じことではないか。

**イアーゴー**　申しわけございませぬ。

**オセロー**　たとえ麾下《きか》の将兵が、末は工兵隊の人夫土方に至るまで、寄ってたかってあの美しい体を慰みものにしようと、それを知りさえしなければ、それでおれは十分幸福でいられるのだ。ああ、もうお別れだぞ、あの日々の平穏、心の満ち足らいとも！　もうお別れだ、軍帽の羽毛を風に靡《なび》かせた部隊の行進、いさおし競う華々しい戦場の夢——ああ、みんなお別れだ！　いななく軍馬、鋭い喇叭《らっぱ》の音、心を躍らす太鼓の響き、耳を突裂《つんざ》く笛の声、軍旗の荘厳、輝かしい戦場のすべて、その誇り、名誉、手柄、一切とお別れだ！　それに、ああ、あのすさまじい巨砲の轟《とどろ》き、荒々しい咽喉《のど》の唸《うな》りに雷神ジュピターの怒号すら吹消してしまうお前ともお別れだ！　オセローの、命を賭《か》けた事業も、ついに終ってしまった！

**イアーゴー**　そのようなことが？

**オセロー**　悪党め、どうでも証拠を見せろ、おれの愛するあの女が淫売《いんばい》だという。さあ、証拠を、おれは目に見える証拠がほしいのだ。（イアーゴーの咽喉をつかむ）それが出来ぬなら、ええい、呪っても呪いきれぬ奴だ、このおれの怒りの炎に焼かれぬうちに、さっさと犬にでもなってしまえ！

**イアーゴー**　それほどまでにも？

**オセロー**　この目に見せてくれ、せめて、こうと証明して見せろ、一点の疑いも差しはさむ余地のないほどに、さもなければ命はないぞ！

**イアーゴー**　将軍、一言――

**オセロー**　もしあれを中傷し、おれに苦痛を与えようとならば、今さら何も頼むことはない、遠慮も何もかなぐりすてて、悪業に悪業を重ねるがいい、天も泣き、地も震えるほどのことをやってみろ、そうしたところで、これほど大それた堕地獄の罪が犯せるものか。

**イアーゴー**　ああ、お手を！　何をおっしゃる！　それが人間のなさることか？　お心はおありなのですか、お気は確かでいらっしゃるのか？　帰らせていただきます、今日かぎり職も免じてくださいますよう。ああ、われながら、とんだ阿呆者《あほうもの》、誠実一点張りの、あげくの果に悪党の汚名を着せられるとは！　ああ、おかしな世の中だ！　用心、用心、みんな気をつけるがいい、率直、誠実は身のためならずさ。おかげで一つ拾い物をいたしました。今後は友達のためなど考えぬことにしましょう、友情をもってして相手をいからせること、かくのごとしとなれば。

**オセロー**　いや、待ってくれ、お前の誠実を疑いたくはない。

**イアーゴー**　精々賢明に身を処せねばなりませぬ。なんと言おうが、正直者は阿呆、汗を流して損をするのですからな。

**オセロー**　正直に言う、おれは妻の誠実を信じながら、同時にその不義を疑っている、またお前の正義を信じながら、その不正を疑っている。おれは是が非でも証拠がほしいのだ。月の女神、ダイアナの面《おもて》のごとく清らかな、あれの名が、今は穢《けが》れておれの顔のように黒ずんでしまった。もし手許《てもと》に縄《なわ》があったら、刃物があったら、いや、毒でもいい、火でもいい、あるいはあれの息の根を止める流れがあったら、どうしてこのままにしておこうか。ああ、自分の気のすむように出来たら！

**イアーゴー**　将軍、あまりに激情に身をお委《ゆだ》ねになりすぎます、お話ししなければよかったと後悔しております。お気のすむようにとおっしゃる？

**オセロー**　それが出来たら！　いや、かならずそうして見せる。

**イアーゴー**　いや、そう出来ましょう、が、どうして？　どうすれば、気がすむとおっしゃるのです？　まさか客席に廻《まわ》って、馬鹿面《ばかづら》して口を開けて――奥様が乗りまわされているところを見物なさりたいというのではございますまい？

オセロー　うせろ、畜生！　ああ！
イアーゴー　それこそ無理難題と申すもの、まさか御両人に現場の再現を頼むわけにもまいりませぬからな。いかにあの人たちでも、二人並んで寝ているところを、おのれ以外の生きた他人の目にさらそうとは！　では、どうするか？　どうしたらよいか？　なんと申しあげたら？　どうすれば、お気がすむのか？　御自分の目で見たいとおっしゃっても、それは出来ない相談と申すもの。たとえ二人が山羊《やぎ》のごとく淫乱、猿《さる》のごとく燃えあがっており、さかりのついた狼《おおかみ》のごとく好色、酒を飲まされた阿呆のごとくずうずうしかろうと、そいつは御無理だ。しかしでございます、諸般の状況から推して他の解釈の許されぬ事柄というものがありまして、これを一つ一つ拾って行けば、やがて真実の戸口に辿《たど》りつく道理、そんなことでお気がすむのでしたら、多少お役にたたぬでもありませぬが。
オセロー　あれがおれを裏切った退引《のっぴ》きならぬ証拠を見せろ。
イアーゴー　そういう役割はあまり好みませぬ。が、ここまで事件に深入りしてしまいました以上、馬鹿正直の真心に一層拍車をかけて、行けるところまで行ってみることにいたしましょう。ごく最近のことですが、キャシオーと同じ床に寝たことがあります。たまたま歯がひどく痛みまして、その夜はろくに眠れなかったのです。よくあることですが、心に締りがないとでも申しますか、眠っている間に、自分のしたことを喋《しゃべ》りちらす人間がおりましょう、キャシオーがそれなのです。眠っていながら、こんなことを申しました、「デズデモーナ、気をつけなければいけない、二人のことは誰にも知られないように。」そのうち、私の手を取り、強く握りしめて、「ああ、かわゆくてたまらぬ！」と叫んだかと思うと、いきなり強く私に接吻《せっぷん》するではありませんか。それがまるで私の唇に生えている接吻を根こそぎ捥《も》ぎとろうとでもするような激しさでした。それから自分の脚を私の太腿《ふともも》の上に乗せて、深い溜息《ためいき》をもらし、またもや接吻です。かと思うと、急に大声を挙げて、「お前をムーアの手に委ねた運命が呪わしい！」と罵《わめ》き出す始末です。

**オセロー**　ああ、怪《け》しからぬ奴だ！　怪しからぬ！

**イアーゴー**　いや、単なる夢物語です。

**オセロー**　それも、前に事実があったればこそだ。たとえ夢とはいえ、その疑いは十分ある。

**イアーゴー**　それに、幾分それと疑える他の証拠を確かなものにする傍証くらいにはなりましょう。

**オセロー**　八裂きにしても足りぬ女だ。

イアーゴー　しかし、くれぐれも御自重なさいますよう、現場を見たわけではありませぬし、奥様は案外潔白であるかもしれませぬ。ただお伺いしておきたいことが一つ、お気づきにならなかったでしょうか、苺《いちご》の模様のあるハンカチーフをよく奥様がお使いになっているのを?

オセロー　それなら、おれがやったやつだ、始めての贈り物がそれだった。

イアーゴー　そこまではぞんじません。ただそのハンカチーフが——あれは確かに奥様のものに違いありません——実はそれで、きょうキャシオーが髯《ひげ》を拭《ふ》いているのを見たのです。

オセロー　もしそれがそうだとしたら——

イアーゴー　もしそうだとしたら、でなくとも、とにかく奥様のものだとすれば、これもまた奥様にとっては、不利な証拠の一つということにはなりましょう。

オセロー　おお、あの下司《げす》下郎《げろう》め、いっそ千万の命をもっていてくれればいい！　一つでは足りぬ、一つではこの怨《うら》みをどうして霽《は》らしえようぞ。もう解った、事実なのだ。見ろ、イアーゴー、これ、このとおり、このおれの愚かな愛を、最後の一かけらに至るまで宙に吹きとばしてしまうのだ——それ、もう空っぽだ。立て、どす黒き復讐《ふくしゅう》の鬼、地獄の洞窟《どうくつ》から姿を現わせ！　退《の》け、愛の女神、貴様の王冠でもあり玉座でもあったおれの心を、暴戻《ぼうれい》飽くなき憎悪《ぞうお》の手に譲り渡してしまえ！　このおれの胸を毒蛇《どくじゃ》に嚙《か》ませ、その憎しみの毒をもって腫《は》れあがらせるがいい！

**イアーゴー**　とにかく落着かれたうえで。

**オセロー**　おお、血だ、血を見るまでは、血を！

**イアーゴー**　お鎮《しず》まりを、あるいはそのうちお気持が変ることもございましょう。

**オセロー**　変るものか、イアーゴー、あのポンティック海を見ろ。その冷たい水は奔流のように狭い海峡を押しあいへしあいして、後へ引くどころか、まっしぐらにプロポンティック海へ、そしてさらにヘレスポントの海峡へと流れ入る、同様、血に飢えたおれの心は、その漲《みなぎ》る潮の流れの、後に退くすべもなく、二度とふたたび穏やかな愛を湛《たた》えて鎮まりかえる日は来まい、この怨恨《えんこん》の底なしの深淵《しんえん》がそれを飲みほしてしまうまでは。今、おれは、あのかなたの大理石の青空のうちに、（膝《ひざ》まずき）神にたいするにもひとしい誓いを籠《こ》めて、それを言う。

**イアーゴー**　そのままお立ちになりませぬよう。（膝まずき）永遠に輝く天上の日月星辰《せいしん》、われらを取巻く大自然、頼む、証人になってくれ。このイアーゴーはおのれの智慧《ちえ》と力と心の及ぶ限り、裏切られたオセロー将軍のために尽すことを誓う！　将軍の命とあらば、かならず随《したが》い、いかに残虐《ざんぎゃく》非道の所業であろうと、それを厳粛なる義務

と心得ること。（二人立ちあがる）

オセロー　お前の真心には礼を言う、口先だけの世辞ではない、深く恩に着る。そうして、ただちにこの場で、その真心の証《あか》しを見せてもらおう、三日とたたぬうちに、この耳に聞かせてくれ、キャシオーはもうこの世にいないと。

イアーゴー　友人ではありますが、もはや奴の命はありませぬ、それがお望みと承りました以上。しかし、奥様のお命だけは。

オセロー　地獄に落ちるがいい、売女《ばいた》め！　地獄に、ええい、地獄に逆落《さかお》しだ！　さあ、行こう。おれはひとまず引揚げる、あの美しい悪魔を一刻も早く葬《ほうむ》る手だてを考えるのだ。今からはお前が副官だぞ。

イアーゴー　身も心も生涯《しょうがい》そのお手に。（二人退場）

10　〔第三幕　第四場〕

前場に同じ

デズデモーナ、エミリア、道化が出て来る。

デズデモーナ　お前さん、知っていて、キャシオーさんはどこかしら？

道化　男かしらとはひどい、もちろん、男ですよ、あの人は。

デズデモーナ　え、なんですって？

道化　あの人は軍人さんでございますよ、それを男でないなどと言おうものなら、叩《たた》き殺されてしまいます。

デズデモーナ　いいかげんにおし、あの方の下宿先を訊《たず》ねているのです。

道化　あの人の下宿先をお教えするのは、舌先三寸、手前の手のうちを明かしてしまうようなものでして。

デズデモーナ　なんのことやら、さっぱり。

道化　要するに、どこにいるやら、手前は一向ぞんじませんので。それをどこそこと口から出まかせにお答えすれば、手前の舌先があの人の下宿先、それこそ、正直、真赤な嘘《うそ》。

デズデモーナ　ならば、道ゆく人にたずねつつ、それをたずきに、突きとめて。

道化　承りて候《そうろう》、たとえ木の根、草の根、掘り起しても。つまり、片端から訊《き》いて廻《まわ》って、お答え申しあげることにいたしましょう。

デズデモーナ　お見かけしたら、ここへ来てくださるようにお伝えして。将軍のお気持はうまく納めました、やがて何もかもよくなるでしょう、そう申しあげておくれ。

**道化**　その儀ならば、いとやさし、人智の及ばぬところにあらず、かならずもって善処つかまつらん。（退場）

**デズデモーナ**　あのハンカチーフ、どこで無くしたのかしら、エミリア？

**エミリア**　ぞんじませぬ、奥様。

**デズデモーナ**　本当よ、お金の一杯はいっている財布を無くしたほうがまだましだった、主人は真正直で、疑い深く気を廻すような心の狭い人ではないからいいけれども、さもなければどんなことをお考えになるか解《わか》りはしない。

**エミリア**　本当にお疑い深くないとおっしゃいます？

**デズデモーナ**　誰が、主人が！　きっと、あの人の生れ故郷の太陽が、そんな気質をみんな吸いとってしまったのでしょう。

**エミリア**　あそこに旦那《だんな》様がおいでに。

**デズデモーナ**　今度こそ、キャシオーを呼び返すとおっしゃるまで、おそばを離れずにいましょう。

オセロー登場。

デズデモーナ　御気分はよろしくて？

オセロー　大丈夫だ。（傍白）心を偽るのは、こうも辛《つら》いものか！　デズデモーナ、お前は？

デズデモーナ　元気でしてよ。

オセロー　手を。掌《てのひら》が湿っているな。

デズデモーナ　まだ若いのですもの、それに憂《うれ》いも知りませんし。

オセロー　気前がよく、ものにこだわらぬ気質を現わしているのだ、温かい、温かくて、そして湿っている。この様子では、人を遠ざけて内に籠《こも》り、精進潔斎、断食《だんじき》苦行、ひたすら神の御前に祈り勤めねばなるまい。それ、ここに年若い多情の悪魔がひそんでいる、そいつが往々謀反《むほん》を起すのだ。いい手をしている、人見知りをしない手だ。

デズデモーナ　本当におっしゃるとおりよ、この手で、この心をお渡ししたのですもの。

オセロー　こだわりを知らぬ手だ、昔は心が手を与えたものだが、当世風では、まず先に手を出す、心は与《あずか》り知らぬらしい。

デズデモーナ　むずかしいお話。さあ、それよりお約束を。

オセロー　約束？

デズデモーナ　いま、キャシオーを呼びにやりました、あの人の話を聴いてあげてくださいまし。

オセロー　風邪を引いたらしい、洟《はな》が出て仕方がない、ハンカチーフを貸してくれ。

デズデモーナ　どうぞ、これを。

オセロー　おれのやったのがあるだろう。

デズデモーナ　でも、ここにはございません。

オセロー　ここにない？

デズデモーナ　ええ、本当に。

オセロー　なんということだ。あのハンカチーフはおれの母親があるエジプトの女から貰《もら》ったものだ。その女は魔法使で、よく人の心を読みあてたものだが、それが母にこう言った、これが手にあるうちは、人にもかわいがられ、夫の愛をおのれひとりに縛りつけておくことが出来よう、が、一度それを失うか、あるいは人に与えでもしようものなら、夫の目には嫌気《いやけ》の影がさし、その心は次々にあだな想《おも》いを漁《あさ》り求めることになろう、と。母はそれを今わの際《きわ》におれに手渡し、もしさいわいにして妻をめと

〔III-4〕るときがきたなら、その女に与えるようにと言いのこしていったのだ。おれはそのとおりにした。大事にしてくれなければ困る、そのおのれの眼《め》のように大切に扱ってもらいたい。無くしたり、人にやってしまったりしようものなら、それこそ取返しがつかぬ、この上ない禍《わざわ》いが起るのだ。

**デズデモーナ**　本当にそのような？

**オセロー**　本当なのだ。あれには魔法が織りこんである。二百年の齢《よわい》を重ねた巫女《みこ》が、神の御告げを語る恍惚《こうこつ》夢遊の間に、その縫取りをしたという、それだけではない、蚕を神前に浄《きよ》めて、その糸を吐かしめ、さらにそれを、特別の秘法をもって乙女の心臓より絞りとった薬液に漬《つ》けて染めあげたものだ。

**デズデモーナ**　まあ！　それは本当に？

**オセロー**　嘘いつわりはない、だからこそ気をつけてもらいたいのだ。

**デズデモーナ**　そうと知ったら、いっそ見なければよかった！

**オセロー**　はっ！　それはどういう意味だ？

**デズデモーナ**　なぜそのように激しいおっしゃりようを？

**オセロー**　失ったというのか？　無くなってしまったと？　言え、どこかへやってしまったのか？

デズデモーナ　どうしましょう！
オセロー　なに？
デズデモーナ　無くしはいたしません、でも、どうなさるおつもり、もしそれが、もしも？
オセロー　はっ！
デズデモーナ　でも、決して無くしはいたしませんと。
オセロー　すぐ取って来なさい、見せてもらおう。
デズデモーナ　それは、お見せ出来ますけれど、でも、今はいや。それで私の頼みをはぐらかそうとしておいでなのだもの。お願い、キャシオーをもう一度もとの位につけてあげて。
オセロー　ハンカチーフを取って来なさい、見て安心がしたいのだ。
デズデモーナ　それよりも、今のお話、あれだけの人はそうございませんもの。
オセロー　ハンカチーフを！
デズデモーナ　お願いします、キャシオーのことをお考えになって。
オセロー　ハンカチーフだ！
デズデモーナ　いつも自分の運命をあなたのお心に委《ゆだ》ね、今日まで数々の危険を共にしていらっしゃった方を――

**オセロー**　ハンカチーフ！

**デズデモーナ**　なにも、そうまで。

**オセロー**　やめろ！（退場）

**エミリア**　あれでお疑い深くないとおっしゃいます？

**デズデモーナ**　始めてあんな御様子を。本当にあのハンカチーフには何か恐ろしい力がひそんでいるのでしょう、それを無くした私が不幸なのです。

**エミリア**　一年や二年で、男の正体が解るものではございません。男はみんな胃袋同然、私たち女はその食べもの。がつがつ掻《か》きこんでおきながら、お腹《なか》がくちくなれば、惜しげもなく吐き出してしまう。御覧なさいまし、あそこにキャシオー様が主人と一緒に。

キャシオーとイアーゴー登場。

**イアーゴー**　ほかに手はない、やはり奥様に骨折ってもらわなければ。おお、ちょうどいい、あそこに！　さあ、お願いしてみるのだ。

**デズデモーナ**　まあ、キャシオー様！　その後どうしておいでです？

**キャシオー**　奥様、例のお願いでございますが、なんとかお力添えいただいて、もう一度、息を吹返し、心の底から敬愛しております将軍の御信頼を得、麾下《きか》の一員に返していただきたいのでございます。これ以上、待ってはおられませぬ。私の過ちはもはや取返しつかぬ、過去の勤めぶりも現在の悲しみも、また将来かならずお目にかけましょういさおしも、ついに二度と将軍のお心を得られぬものとおっしゃるなら、ただそのことを承るだけでもさいわいとぞんじます。そうすれば、無理にも諦《あきら》めの衣に身を包み、何か他の道にたずきを求め、運命神のわずかな施しにすがって生きることにいたしましょう。

**デズデモーナ**　それほどまでに、キャシオー様！　お取りなしはしてみましたけれど、今のところどうにもなりませぬ。いつもの主人とは違います、すっかり様子が変ってしまいました、顔だけはあの人、さもなければ、同じ主人とはとても思えませぬ。誰が知らなくとも、天使だけは知っているはず、おためになればと、言うだけのことは言ってみましたが、言葉が過ぎたのでしょう、私まで主人の不興を買ってしまいました！　もうしばらく辛抱してくださいまし。出来るだけのことはしてみるつもりでおります、自分のためならとても出来ないことでも、それはかならず――そのお約束だけで今はお許しくださいまし。

**イアーゴー**　お腹だちなのか？

**エミリア**　今しがたまでここにおいでだったけれど、本当に、いつに似げないおいらだちの御様子でした。

**イアーゴー**　将軍がお怒りに？　いつだったか、敵の砲撃に身方の軍隊は吹飛ばされ、悪魔め、将軍が片腕とも頼んでおられた御兄弟まで、無慚《むざん》にも捥《も》ぎ取ってしまったことがある、それでも平然としておられた将軍がお怒りに？　だとすれば、何かよほどの事が。とにかくお会いしてみよう、何か訳がなければお怒りになるはずがない。

**デズデモーナ**　お願いします、ぜひそうして。（イアーゴー退場）きっとお仕事のことで何かあったのだと思います。本国のヴェニスから情報がはいったのか、それともこのサイプラスに陰謀でもあって、それが未然に発覚したのか、そうした政治上の事件が、いつもの澄んだお心を濁らせたのに違いない。そういうとき、男にはよくありがちのこと、本当はもっと大きな事が相手なのに、目先のつまらないことにかかずらうものなのです。そういうものなのね、指が痛いと、ほかのなんでもないところまで痛むような気がしてきますもの。それに、男の人も神様ではないのですし、いつまでも結婚当時の気がねを保てというのは無理な話。われながら、情けない、エミリア、こうして戦のお伴《とも》をさせてもらいながら、その値うちもない、あの方を冷たいなどと恨んだりして。でも、やっと気がつきました、そういう自分の心が間違っていた、なにもあの人を責めるには当らない。

**エミリア** おっしゃるようにお仕事のためならばと念じております、奥様のことで根も葉もない想像やたわいのない嫉妬《しっと》をおいだきにならないようにと。

**デズデモーナ** どうしてそのような、なんの覚えも無いのに!

**エミリア** でも、嫉《や》きもちやきなら、覚えがないだけでは安心いたしませぬ、何かあるから嫉くのではない、嫉かずにいられないから嫉くだけのこと、嫉妬というものはみずから孕《はら》んで、みずから生れ落ちる化物なのでございますもの。

**デズデモーナ** そのような魔物がオセロー様のお心に忍びこみませぬように!

**エミリア** 私も御一緒にそうお祈りいたします。

**デズデモーナ** 主人をさがしてまいります。キャシオー様、この辺にいらしてくださいまし。もし機嫌《きげん》がよいようでしたら、話をもちだしてみます。今度こそうまくゆきますよう、出来るだけ尽してみましょう。

**キャシオー** 御礼の申しあげようもございませぬ。(デズデモーナとエミリア退場)

ビアンカ登場。

**ビアンカ**　御機嫌よう、キャシオー！

**キャシオー**　やあ、なんの用でお出ましだ？　元気かね、わが麗《うるわ》しのビアンカ姫？じつは、お前さんのところへ行こうと思っていたところだ。

**ビアンカ**　あたしもあんたの宿舎へ行こうとしていたところなのよ、キャシオー。なにさ、一週間も放《ほ》ったらかしておいて？　七日七夜の、百と六十八時間、惚《ほ》れて待つ身になれば、辛さをそれに掛け時計、そのまた百六十倍もくさくさしてしまうよ、数えるだけでもうんざりさ！

**キャシオー**　勘弁してくれ、ビアンカ、ここのところ、気が重くて仕方がないのだ。しかし、今度は大いに居つづけして、この無沙汰《ぶさた》の借りはきっと埋合せする。それはそうと、ビアンカ、（デズデモーナのハンカチーフを手渡し）この模様を写しとっておいてくれないか。

**ビアンカ**　まあ、キャシオー、どこで手に入れたの？　また新しいお友達が出来て、形見に貰ったのね？　さんざん寂しい想いをさせておいて、やっとその理由が解った。そういうわけなの？　よくてよ、よろしゅうございますよ。

キャシオー　待ってくれ！　そんなけちな邪推は地獄の鬼に食わせてしまえ、どうせその辺からお貰い申して来たものだろう。嫉けるというわけか、どこかの女から、何かの想い出にね、とんでもない、見当違いも甚《はなは》だしいよ、ビアンカ。
ビアンカ　それなら、誰のなの？
キャシオー　そいつが解らない。おれの部屋に落ちていたのだ。刺繡《ししゅう》の模様がすっかり気に入ってしまったのさ。返してくれと言われないうちに――いずれそうなるに決っているからな――早いところ写しを取っておきたいのだ。とにかく持って行って、写しておいてくれ。今日のところは、これでひとまずお別れとしよう。
ビアンカ　お別れとしよう！　なぜさ？
キャシオー　ここで将軍にお目にかかることになっているのだ。女にまつわりつかれているところを見られたのでは、信用にもかかわるし、おれの本意でもないからな。
ビアンカ　なぜだって言うのに？
キャシオー　お前が嫌《きら》いだからではなくて――
ビアンカ　好きではないからよ。お願いだから途中まで送って来て、そして今晩すぐ会いに来てくれると言って。
キャシオー　途中までちょっとなら、送って行けないこともないが、何にせよ、ここにいることになっているのだから。とにかくすぐ会いに行くよ。
ビアンカ　よし、それなら我慢する。（二人退場）

〔第四幕　第一場〕

11

前場に同じ
オセローとイアーゴー、連れ立って登場。

イアーゴー　やはり、そうお思いになりますか？
オセロー　そう思うか、イアーゴー！
イアーゴー　つまり、人目を忍んで接吻《せっぷん》するということですが？
オセロー　許せぬ、ただの接吻とは違うぞ。
イアーゴー　それなら、一糸もまとわず、男と同じ床に一時間も二時間も過しながら、しかもいささかの邪心も懐《いだ》かぬとすれば？
オセロー　一糸もまとわずにだと、イアーゴー、しかもいささかの邪心も懐かずに！　それこそ悪魔にたいする偽善というやつだ。操《みさお》だけは守っているつもりで、そのようなことをしてみろ、そんな操はすぐ悪魔につけこまれ、たちまち天の怒りを買うだけだ。

**イアーゴー**　実際、何もしないのですから、いわばちょっとした躓《つまず》きに過ぎますまい。それはそれとして、もし私が家内にハンカチーフをやったとします――

**オセロー**　一体、何が言いたいのだ？

**イアーゴー**　申すまでもございますまい、それは家内のものになります。とすれば、一度あれのものになった以上、あとでそれを誰に贈ろうが、あれの勝手ではないかと思われますが。

**オセロー**　だが、女の操となれば、そうはゆくまい、それも人に与えて構わぬと言うのか？

**イアーゴー**　操と申したところで、目には見えぬもの、たとえその持合せのない女でも、結構、持っているように見えるのですからな、まだしもハンカチーフの方が――

**オセロー**　うむ、その話はもう忘れてしまいたいのだ。お前は確かに見たと言う――ああ、そのことがどうしても頭を離れぬ、疫病《えきびょう》に取りつかれると、かならず大烏《おおがらす》がやって来て、その家の軒先を離れず不吉を知らせて鳴き続ける、あたかもその声のように――あいつがおれのハンカチーフを持っていたと。

イアーゴー　そう申しました、が、だからといって、それが？
オセロー　どうしたと問うまでもあるまい。あの男が将軍を裏切ったと申しあげたところで？
イアーゴー　どうということもございますまい、当人の口からじかにそう聞いたといたしましても――そういう奴《やつ》は世間にはざらにおります、拝むようにして口説き落したにせよ、女の方から進んで持ちかけられたにせよ、とにかくものにしたことをべらべら吹聴《ふいちょう》して廻《まわ》らずにいられないという手合いが――
オセロー　あの男が何か言ったと言うのか？
イアーゴー　は、もちろん。しかし、それほど気になさることもございますまい、当人が知らぬと言えば、それまでの話でして。
オセロー　なんと言ったのだ？
イアーゴー　つまり、あの男の言葉を借りれば――もちろん、実際に何をしたかは知りうべくもありませんが。
オセロー　なんと言ったのだ？　どうしたと？
イアーゴー　大いに慰んだと――
オセロー　あれを？

**イアーゴー**　は、奥様を慰みものに、そして奥様も結構、自分を慰めてくれたとか、そのほかにも色々と。

**オセロー**　あれを慰んだと！　そしてあれの方でも！——そうだ、あの男を慰めたかといって、なんの不思議もない——だが、あれを慰んだと言えば！　ええい、けがらわしい！　ハンカチーフが——自白させるのだ——ハンカチーフのことを！　自白あっての絞首台《こうしゅだい》だ、だが、奴だけは、まず首を絞めてやる、そうしておいて泥《どろ》を吐かせるのだ。思っても身の毛がよだつ。この、おれの上に蔽《おお》いかぶさってくる暗黒の情念、それにこうもたわいなく人間の自然が身をゆだねるわけがあろうか、そこに何かがなければ。言葉だけではない、何かがおれをこのように揺さぶるのだ。畜生！　鼻を、耳を、唇《くちびる》を。そんなことが？——泥を吐いたと？——ハンカチーフのことを？——おお、悪魔め！　（卒倒する）

**イアーゴー**　毒よ、廻れ、手際《てぎわ》を御覧《ごろう》じろ、廻れ、廻れ！　信じやすい阿呆《あほう》どもが、こうして難なく罠《わな》に落ちるというわけさ。どんなに立派な操ただしき奥方様でござろうと、まずはかくのごとし、身に覚えはなくとも、どんな目に会うか知れたものではない。もし！　将軍！　将軍！　オセロー様！

キャシオー登場。

**イアーゴー**　おお、キャシオー！

**キャシオー**　どうかしたのか？

**イアーゴー**　将軍が倒れた、癲癇《てんかん》の発作なのだ、これが二度目で、きのうも一度あった。

**キャシオー**　こめかみのところを擦《さす》ってさしあげろ。

**イアーゴー**　いや、そっとしておいたほうがいい、気を失ったときは静かにしておくに限る、下手をすると、口から泡《あわ》を吹いて、たちまち気違いのように暴れ廻り、手がつけられなくなるからな。あ、動かれたぞ。ちょっと外していてくれ。すぐお癒《なお》りになるだろう。あとで向うへ行かれたら、ひとつ、きみと相談しておきたい重大問題があるのだ。（キャシオー退場）将軍、お気持は？　額がお痛みになりませんか？

**オセロー**　おれをからかう気か？

**イアーゴー**　からかう！　とんでもございません。御自分の運命に男らしく堪《た》えられますように！

**オセロー**　額に角を生やす、それこそ化物だ、獣だ。

**イアーゴー**　そうなりますと、華やかな都などは獣で一杯、化物紳士がうようよして
いるということになりましょう。

**オセロー**　あいつ、泥を吐いたと？

**イアーゴー**　どうぞ、お心たしかに、考えてみれば、結婚の軛《くびき》につながれた男どもは、いずれも将軍と同じ憂《う》き目を見るのです。現にそういう連中が何百万と生きておりますことか、夜ごと、自分たちのもぐりこむ寝床がまずは他人との共有物とは知らないで、結構、おのれ一人が独占しているとばかり思いこんでいる、そういう連中に比べれば、将軍の場合はまだしもましと申せましょう。ああ、塗炭《とたん》の苦しみ、針の山とは正にそのこと、疑いも知らぬげに寝床の中で不貞な女の唇をなめまわし、これぞ貞女の鑑《かがみ》と喜んでいるなどとは！　そいつは御免です、私なら知っていたい、そうと知れば、こうと出ようもありますからな。

**オセロー**　おお、よく言った、そのとおりだ。

**イアーゴー**　しばらく席をおはずし願いたいのですが。ほんのちょっとの御辛抱です。実は、いま気を失って倒れておいでのとき——お苦しみはお察し申しあげますが、あまりのお取乱し、日頃《ひごろ》の将軍とは思われませぬ——たまたまキャシオーが通りすがりました、ひとまず退散を命じ、将軍のことはなんとか言いつくろっておきました。し

かし、すぐここへ来るように、話があるからと申しましたところ、そうすると言っておりました。で、しばらくその辺に身を隠しておいでになっていただきたいのですが、そして、蔑《さげす》み、嘲《あざけ》り、わざとらしい高笑い、その顔に現われるわずかの変化も、一つとしてお見のがしにならぬように。こちらは誘いをかけて、例の話をもう一度させてやろうというわけです、奥様との逢引《あいび》き、どこで、どうして、どのくらい前から、何度くらい、いつといつ、そしてこの次はという具合に。よろしゅうございますか、くれぐれもあの男の身ぶりに御注意なさることです。ただし、きっと御自制くださいますよう、それがお出来にならねば、結局、感情の奴隷《どれい》、男ではないと申しあげねばなりますまい。

**オセロー**　聞け、イアーゴー。自制心なら、誰にも引けをとらぬ男を見せてやろう、が、同時に——よく聞いておけ——残酷無比の男もな。

**イアーゴー**　それも悪くはございませぬ。いずれにせよ、臨機応変にお願いいたします。そろそろ隠れておいでになっては？　（オセロー、物蔭《ものかげ》に隠れる）さてと、キャシオーにはビアンカのことを訊《き》いてやるのだ。あの、肉をひさいで煮たり食ったりのあばずれ女、そいつがキャシオーにだけは首たけ、女郎の因果というやつで、千人だまして、あげくは一人にだまされる。あの女の話を持出しさえすれば、奴《やっ》さん、相好《そうごう》くずさずにはいられないのだ。それ、来たぞ。

キャシオーが二たび登場。

イアーゴー　奴が笑えば、オセローが逆上する。そうなれば世間知らずの疑心暗鬼だ、かわいそうにキャシオーの奴、笑い、身ぶり、はしゃいだ様子、すべてが曲って解釈されるというわけだ。やあ、副官、いいところに。

キャシオー　その肩書を言われると、ますます気が重くなる、それを取りあげられたおかげで死ぬ思いをしているのだからな。

イアーゴー　デズデモーナ様によく頼んでおきさえすれば、何も心配することはない。それがさ、ビアンカの手でどうにかなるというのだったら、たちまち開運、疑いなしというところだが！

キャシオー　どうということもないさ、あんな女！

オセロー　（物蔭で）見ろ、あれを、もう笑っている！

イアーゴー　あれほど情の深い女も珍しいな。

キャシオー　ふん、つまらない女さ！　たしかにおれに惚《ほ》れているらしいがね。

オセロー　（物蔭で）とぼけて知らぬと言いたいのか、笑ってすまそうと。

**イアーゴー**　それより、噂《うわさ》を聞いたかい、キャシオー？

**オセロー**　(物蔭で) 例の話を喋《しゃべ》らせようとしているらしい。そうだ、その調子だ、なかなかやるぞ。

**イアーゴー**　あの女はあちこち言いふらしているそうだぜ、きみが結婚してくれると言ったと。本当にそのつもりなのかい？

**キャシオー**　はっ、はっ、は！

**オセロー**　(物蔭で) 得意なのか、貴様は？　それほど得意なのか？

**キャシオー**　あれと結婚する！　おい、淫売《いんばい》とかい！　頼むぜ、もう少しおれの分別を買ってくれ、それほど見すてたものでもあるまい。はっ、はっ、は！

**オセロー**　(物蔭で) そう、そう、そう、最後に勝つ者は大いに笑うのだ。

**イアーゴー**　いや、専《もっぱ》らの噂だぞ、きみがあの女と結婚するという。

**キャシオー**　冗談も休み休み言え。

**イアーゴー**　おれがそんな冗談を言うわけがない。

**オセロー**　(物蔭で) そうして今日までおれを出しぬいてきたというのか？　よし、それなら。

**キャシオー**　あの牝猿《めすざる》が勝手に言い触らしているだけの話さ。ひとりでのぼせて、いい気になって、もう結婚してくれるものと思いこんでいるのだ。おれの知ったことではないよ。

**オセロー**　(物蔭で)イアーゴーが合図をしている、奴め、そろそろ恋物語を始めようというのだな。

**キャシオー**　つい今しがたもここにいたのだ、行く先々附《つ》きまとって離れない。この間も、海岸でヴェニス人たちと話をしていると、あの間抜けめ、のこのこやって来て、嘘《うそ》は言わない、こうして首にぶらさがって――

**オセロー**　(物蔭で)「キャシオー様！」とでも言ったのだろう、その様子では。

**キャシオー**　しなだれかかって、めそめそ泣くのだ。そうかと思うと、こんなふうに手をゆすぶったり引張ったりで、どうにも、はっ、はっ、は！

**オセロー**　(物蔭で)そんなふうにして、おれの部屋へ引きずりこんだと言うのだな。おお、その鼻を引きそいで、犬にでもくれてやりたい。

**キャシオー**　まあ、潮時さ、そろそろ引揚げるよ。

**イアーゴー**　大変だぞ！　見ろ、やって来た！

**キャシオー**　こうなのだ、牝犬め！　やれやれ、白粉《おしろい》女郎の御入来か。

ビアンカ登場。

**キャシオー**　どうしてそう附きまとうのだ？

**ビアンカ**　いっそ悪魔に附きまとわれるがいい！　あれは一体、何さ、さっきくれたハンカチーフは？　すなおに受けとったあたしはいい馬鹿《ばか》さ。同じのを作りたいから、模様を写しておけだって？　それこそいいかげんな作り話だよ、部屋に落ちていたのを見つけたので、誰が落したのだか解《わか》らないとさ！　どうせどこかの招き猫《ねこ》にでも貰《もら》ったのだろう、それを、どうしてあたしが模様を写しとっておく義理があるのさ？　さあ、返すよ、お前さんのいい娘《こ》にでもやるがいい。誰に貰ったか知らないけれど、模様を写せだなんて、いやなことだ。

**キャシオー**　おい、ビアンカ！　おい、おい！

**オセロー**　（物蔭で）おお、あれは確かにおれのハンカチーフだ！

**ビアンカ**　いいこと、今晩、御飯を食べに来るのよ、もしおいやなら、いつでも結構、あたしがその気になったときにね。（退場）

**イアーゴー**　追いかけたり、追いかけたり。

**キャシオー**　追いかけなくて。放《ほう》っておいたら、街中わめき廻るに決っている。

イアーゴー　晩飯はあの女のところか？
キャシオー　うむ、そのつもりだ。
イアーゴー　それなら、行くかもしれない、ぜひ話しておきたいことがあるのだ。
キャシオー　きっと来てくれ、来られるな？
イアーゴー　さあ、もういい、解った。（キャシオー退場）
オセロー　（出て来て）どうして殺してくれよう、イアーゴー？
イアーゴー　御覧になりましたか、あの男はおのれの不義を座興に、結構たのしそうな様子を？
オセロー　おお、イアーゴー！
イアーゴー　それに、ハンカチーフを御覧になりましたか？
オセロー　おれのだったか？
イアーゴー　確かに、間違いありませぬ――奥様をないがしろにするにも程があると申すもの！　奥様から頂戴《ちょうだい》しておきながら、それをなじみの淫売にやってしまうとは。
オセロー　いつまでも生かしておいて、なぶり殺しにでもしてやりたい。すばらしい女を！　美しい、たおやかな女を！
イアーゴー　それは、もうお忘れにならなくては。

オセロー　よし、忘れる、あの女、腐ってしまえ、くたばって、地獄に堕《お》ちるがいい、今夜のうちにも。おれが生かしてはおかぬ。許せるものか、おれの心臓は石と化してしまった、打てば、手が折れよう。ああ、この世に二人といないかわいい奴、帝王と共に寝《い》ね、その傍《かたわら》にあって帝王の事業を助ける、そういう女なのに。

イアーゴー　お止《や》めなさいまし、日頃の将軍とも思われませぬ。

オセロー　畜生！　おれはただ在りのままを言っているのだ。針を持たせても、歌わせても、あれほどすばらしい女はいない――おお、あれの歌を聴けば、狂暴な熊《くま》もおとなしくなる――あれほど才気もあり、心の豊かな女がまたとあろうか――

イアーゴー　それだけに、なおさら許せませぬ。

オセロー　おお、そうなのだ、そのとおりだ――しかも、あれほど育ちがよくて素直な女は！

イアーゴー　さよう、素直すぎるほどに。

オセロー　そのとおり、だが、口惜《くや》しいのだ、イアーゴー！　ああ、イアーゴー、おれは口惜しいのだ、イアーゴー！

イアーゴー　不義をなさった奥様に、そうまでたわいのない未練をお残しなら、いっそ姦通《かんつう》の許可をお与えになったらよろしい、将軍さえ平気でいらっしゃれるなら、他の誰にも障りのないことですから。
オセロー　八裂きにしても足りぬ――よくもこのおれを間抜男に仕立てたな!
イアーゴー　そのことです、奥様がお悪いのだ。
オセロー　おれの部下と!
イアーゴー　それだけに、なお。
オセロー　なんとかして毒を手に入れて来い、イアーゴー――今夜中に。問答無益だ、美しい姿を見れば心も鈍ろうからな――今夜中に、いいか、イアーゴー。
イアーゴー　毒薬はお止めなさいまし、絞め殺すのです、奥様がみずからお穢《けが》しになった、その床の上で。
オセロー　そうだ、それがいい。因果応報だ。気に入ったぞ、それに限る。
イアーゴー　で、キャシオーの方は、私にお任せ願います。いずれ夜中までには、もう少しはっきりしたことがお耳に入れられましょう。
オセロー　そうして貰えればありがたい。(奥でトランペットの音)あれはなんだ?
イアーゴー　きっと、ヴェニスからの御使者でございましょう。

ロードヴィーコー、デズデモーナ、および侍者たちが登場。

イアーゴー　ロードヴィーコー様だ！　ヴェニス公のお使いらしゅうございます。それに、それ、奥様も御一緒に。

ロードヴィーコー　お元気らしく、何よりだ、オセロー将軍！

オセロー　お言葉、ありがたく頂戴いたします。

ロードヴィーコー　ヴェニス公はじめ議官たちから、くれぐれもよろしくとのことだった。（手紙を渡す）

オセロー　御書面、謹んで拝見いたしましょう。（手紙を開いて読む）

デズデモーナ　何か変ったことでも、ロードヴィーコー様？

イアーゴー　お目にかかれて嬉《うれ》しゅうぞんじます、サイプラスまでよくお出《い》でくださいました。

ロードヴィーコー　御挨拶《あいさつ》ありがとう、副官のキャシオーはどうしている？

イアーゴー　は、おかげで。

デズデモーナ　それが、情けないことに主人との間に溝《みぞ》が出来てしまいました。でも、あなたが来てくださったので、何もかもうまく収まりましょう。

オセロー （傍白）そう思うか？
デズデモーナ　え、何か？
オセロー （手紙を読む）「必ずそのように取計らわれたく、万事あらかじめ――」
ロードヴィーコー　呼ばれたのではない、手紙を読んでおいでなのだ。将軍とキャシオーとの間に何か気まずいことでも？
デズデモーナ　ええ、本当に困ったことが。この私に出来ることでしたら、どんな労もいといませぬ、他の人ならいざ知らず、キャシオーのためなら。
オセロー （傍白）このおれに地獄の責苦を！
デズデモーナ　何か？
オセロー （傍白）それを本気で言うのか？
デズデモーナ　やっぱり、怒っているのかしら？
ロードヴィーコー　あるいは手紙のせいかもしれぬ、キャシオーを後任にして帰国せよとの命令らしいからな。
デズデモーナ　まあ、それなら嬉しいのだけれど。
オセロー （傍白）まったくだ！
デズデモーナ　何かおっしゃいまして？

オセロー　おれも嬉しい、そうして取乱したところを見せてもらえたのでな。
デズデモーナ　どうしてそのような、オセロー様！
オセロー　悪魔！（デズデモーナを打つ）
デズデモーナ　なんの覚えもないのに。
ロードヴィーコー　将軍、ヴェニスでは誰も信じますまい、この目で確かに見たと言っても。あんまりだ。慰めておあげなさい、泣いておられる。
オセロー　ええい、悪魔め、この悪魔が！　大地が女の涙で孕《はら》むものなら、落ちる滴《しずく》の一つ一つから鰐《わに》が生れ出よう。消えうせろ！
デズデモーナ　こうしているのがお気に障るのなら。（出て行こうとする）
ロードヴィーコー　素直な人だ。将軍、私からもお願いする、お留めになるように。
オセロー　女房殿！
デズデモーナ　え、何か？
オセロー　あれに何か御用があるのでは？
ロードヴィーコー　誰が、私が？
オセロー　さよう、呼び返せとおっしゃったはずだ。確かに、それがこの女の得意、こっちへ返り、あっちへ返り、しかも尻軽《しりがる》に際限もなく寝返りを打ちつづける。泣くのもお得意だ、さよう、よく泣きます。それに素直と来ている、おっしゃるとおり素直、至極素直だ。さ、さ、涙の川を泳ぐがいい――御書面は拝見しました――うむ、芝居もそこまでゆけば大したものだ！――帰国せよとの御命令です――もう行け、すぐ呼びにやる――もちろん、御指図に随《したが》い、ヴェニスにもどりましょう――行ってしまえ、見たくない！――（デズデモーナ去る）御指令どおりキャシオーを後任に据《す》えましょう。ところで、今夜は是非御一緒に食事がしたい。よくこそこのサイプラスへ――山羊《やぎ》と猿めが！（退場）

**ロードヴィーコー**　これがあのムーア将軍か、われわれ議官一同、あれこそは完全無欠の人物と称揚してやまなかった男なのか？　生来、いかなる喜怒哀楽にも心を乱さず、志操堅固にして、不時の禍《わざわ》いの放つ矢弾《やだま》に不死身を誇った勇者、それがこのように？

**イアーゴー**　すっかりお変りになってしまいました。

**ロードヴィーコー**　あれで正気か？　どうかしていはしないか？

**イアーゴー**　御覧のとおりでございます。余計な差出口は申しあげたくありませぬが、将軍もこのままでは、どのようなことになりますか測りかねます。もっとも、そんな心配はないと言われれば、むしろそうなったほうが救われるのにとさえ思うくらいでございます！

**ロードヴィーコー**　なんということだ、自分の妻に手をあげるなどと！

**イアーゴー**　確かによくないことです、手をあげるくらいですめばよいのですが！

**ロードヴィーコー**　いつもああなのか？　それとも、手紙が気に障りでもして、心にもない過ちを犯してしまったとでも？

**イアーゴー**　どう申しあげたらよいのか！　私にいささかの誠実がございますなら、じかにこの目で見、知ったことをそのままお話しすべきではありますまい。御自身でとくと様子を御覧になりますよう、将軍の挙止がそのまま事実を物語りましょう、わざわざ私の口から申しあげる要もないこと。それよりもお後を、どうしておいでか、よく御覧いただきとうぞんじます。

**ロードヴィーコー**　遺憾ながら、あの男を見そこなっていたようだ。（二人退場）

〔第四幕　第二場〕

12

砦《とりで》の一室

オセローとエミリアが出て来る。

オセロー　では、何も見なかったと言うのだな？
エミリア　それどころか、そのようなことは聞いたこともございませんし、おかしいと思ったことさえございません。
オセロー　そうかもしれぬが、キャシオーと一緒のところは見ているはずだ。
エミリア　でも、そのときは別に何も、それにお二人の口から洩《も》れたことは、一つ残らずおそばで伺っておりました。
オセロー　だが、二人だけで囁《ささや》きあうようなことが？
エミリア　いいえ、決して。
オセロー　席をはずせとは言われなかったか？
エミリア　いいえ、一度も。
オセロー　扇を取って来るようにとか、手袋、顔蔽《かおおお》い、そのほか何か取りに行けというようなことでも？
エミリア　そのようなことは一度もございませんでした。
オセロー　それは妙だな。
エミリア　オセロー様、はっきり申しあげます、奥様に不正の影はいささかもございいませぬ、これだけは魂を賭《か》けてお受けあいいたします。もし在らぬことをお考えになっておいでなら、そのようなお疑いはさっぱり捨てておしまいなさいまし、お人柄《ひとがら》にかかわりましょう。もしどこかの悪党にそそのかされてとおっしゃるなら、そんな男はあの楽園の蛇《へび》同様、神の呪《のろ》いに滅びてしまうがいい！　あの奥様が心の正しい忠実な貞女でないとしたら、この世に仕合せな男というものはございますまい。いくら自分の妻が無垢《むく》な女だと言いはろうと、高が知れております、どれもいかがわしいものでございましょう。

**オセロー**　あれにここへ来いと伝えてくれ、今すぐ。（エミリア退場）言うだけのことは言う、だが、女衒《ぜげん》ともなれば、あの程度のお喋《しゃべ》りが出来なくては勤まるまい。油断のならぬ売女《ばいた》だ、邪《よこしま》な秘密の鍵《かぎ》を一手に握っている、それでいて恭《うやうや》しげに膝《ひざ》をつき、結構、神に祈ったりして見せる、そういうところをおれは見ているのだ。

デズデモーナがエミリアとともに登場。

**デズデモーナ**　何か御用が？

**オセロー**　すまぬ、ちょっと、ここへ来てくれ。

**デズデモーナ**　何か？

オセロー　眼《め》を見せろ、おれの顔を見るのだ。
デズデモーナ　なぜそんなことを、何か恐ろしいことを考えていらっしゃるのね？
オセロー　（エミリアに）さあ、いつもの役を頼む、おかみ、いよいよ濡場《ぬれば》となったら二人だけにして、戸は閉めておくのだ、誰か来たら、咳《せき》をするなり、えへんとやるなり、よろしく頼む――お前の商売をやるのだ、商売を、解《わか》ったか、早くしろ。（エミリア引きこむ）
デズデモーナ　お願い、おっしゃって、一体どういうおつもりなの？　お言葉つきからお怒りなのは解ります、でも、そのお言葉の意味が解らない。
オセロー　ところで、お前はどこの何者なのだ？
デズデモーナ　あなたの妻でございます、身も心も捧《ささ》げきった誠実な妻でございます。
オセロー　そうだ、そうしていくらでも誓いを立てろ、地獄に堕《おと》されるだけだ。その天使のような顔つき、地獄の悪魔もうっかり見のがしかねぬ。そういうことのないように罪を二重に犯しておくがいい、私は誠実な妻でございますと、嘘《うそ》の誓いを立てな。
デズデモーナ　神がそれを知っていてくださいましょう。
オセロー　そうだ、神は知っていよう、悪魔にもひとしき不義を働いたことをな。

**デズデモーナ**　え、誰にそのようなことを？　誰と？　どうして私が不義を働いたなどと？

**オセロー**　ああ、デズデモーナ！　行け、向うへ！　ここにいないでくれ！

**デズデモーナ**　ああ、どうしてこんな悲しいことが！　なぜお泣きになります？　その涙は私ゆえにと？　もしや今度の御帰国は父のたくらみとでも、お疑いになっておいでなのでは？　それにしても、私をお責めにならずともよろしいはず、もしそれで父との御縁が切れるなら、私も御一緒に父を失うまででございます。

**オセロー**　もしそれが天意だというなら、このおれにいかなる苦痛を課そうと、ありとあらゆる苦しみや辱《はずか》しめが、雨あられと頭上に降りかかり、貧窮の泥沼《どろぬま》にあえぎつつ、生涯《しょうがい》の夢を奪われ、身動き一つ出来ぬ囚《とらわ》れの身となろうとも、おれはどこか心の片隅《かたすみ》に、堪え忍ぶ我慢の気の一滴をきっと見出《みいだ》したであろうが、それが、ああ、世の嘲《あざけ》りの的となり、じっと動かぬ時の針の先にこの身をさらしていなければならぬというのか！　いや、それしも堪えて見せよう、よろしい、だが、その胸のうちに、おれはおれの心臓を閉じこめ、そこにおれの生死を預けたのだ、その泉を受けて、おれの命の川は流れもするし涸《か》れもする――それを、そこから投げ出してしまおうというのか！　それとも、それを水溜《みずた》めと化し、淫《みだら》なひき蛙《がえる》をつるませ、卵を生ませようとでも！　こうなったら、忍耐の天使も色を失い、初々《ういうい》しい薔薇色《ばらいろ》の唇《くちびる》を、ええい、構うことはない、すさまじい地獄の鈍色《にびいろ》に変えてしまうがいい！

**デズデモーナ**　お願い、信じてくださいまし、この身に疚《やま》しいことは何一つございませぬ。

**オセロー**　おお、そのとおりだ、屠畜場に群がる夏の蠅《はえ》よろしく、卵を生み落すときには、もう孕《はら》んでいる。ええい、毒草め、貴様は美しい、いい香りがする、五体が痺《しび》れるほどだ、そういう貴様は生れて来なければよかったのだ！

**デズデモーナ**　ああ、知らぬ間に私がどんな罪を犯したというのでしょう？

**オセロー**　このきれいな白地の紙は、この美しい書物は、その上に「売女」と書きこむために造られたものなのか？　どんな罪を犯したかと！　犯したとも！　おお、この見ず転めが！　おかげで、この頰《ほお》が熔鉱炉《ようこうろ》のように火照《ほて》ってくる、羞恥心《しゅうちしん》も燃え尽きて灰になろう、お前のしたことをただ口にしただけでな。どんな罪を犯したかと！それを見れば、天も鼻を蔽い、月も目をそむけよう、相手嫌《きら》わずまつわりつく淫な風さえ、地下の洞窟《どうくつ》に身をひそめ、何も聞くまいとするだろう。どんな罪を犯したか！恥を知れ、売女！

**デズデモーナ**　なんということを、あまりにひどうございます。

オセロー　淫売《いんばい》ではないというのか？

デズデモーナ　はい、私もクリスト教徒でございます。ひたすら夫のためにこの身を守り、忌《いま》わしい不義はもとより、人に指一本ふれさせずにきた私、淫売などと呼ばれるわけがありませぬ。

オセロー　なに、売女ではないと？

デズデモーナ　決して、神がごぞんじです。

オセロー　きっとか？

デズデモーナ　ああ、どうしてこのようなことに！

オセロー　それなら、こちらから許しを乞《こ》わねばなるまい、おれはまたお前を、今は巧みに化けてオセローの妻となったヴェニスの淫売とのみ思いこんでいたのだ。（声を高め）おい、おかみ、天国の鍵番聖ペテロの向うを張って地獄の門を預かる御婦人！

　エミリアが二たび登場。

オセロー　お前さん、お前さんだ、そう、お前さんのことなのさ！　もうすんだのだ、見張りの駄《だ》賃《ちん》をやる、頼むから、今日の秘密には鍵をかけて洩らさぬようにな。（出

て行く）

エミリア　ああ、あの方は何を考えておいでなのでしょう？　どうなさいました、奥様？　どうかなさいましたか、デズデモーナ様？

デズデモーナ　まるで、半分、眠っているよう。

エミリア　奥様、何かございましたのでしょうか？

デズデモーナ　誰が？

エミリア　まあ、旦那《だんな》様のことでございます。

デズデモーナ　旦那様って、誰のこと？

エミリア　あなたの旦那様のことを申しあげているのでございますよ。

デズデモーナ　私には誰もいはしない、もう何も言わないで、エミリア。もう泣くことも出来ないの、でも、返事をすれば、涙がこぼれてくるのだもの。お願いがあります、今夜は寝床に結婚の日に使った敷布を敷いておいて――忘れないように頼みます、それからあなたの旦那様を呼んで来て頂戴《ちょうだい》。

エミリア　ただ事とは思えませんよ、本当に！　（退場）

デズデモーナ　当り前なのね、こんなふうにされるのも、ごく当り前のことなのだわ。私は何をしたのだろう、あのささいな過ちがあの人には何か意味があるのかしら？

エミリアとイアーゴーが登場。

**イアーゴー**　なんの御用でございましょうか、デズデモーナ様？　どうかなさいましたか？

**デズデモーナ**　私には解らない。幼な子にものを教えるときは、やさしく事を分けて言いきかせる、そんなおつもりで私をお叱《しか》りになったのかもしれない、そういえば、私はまだ子供のようなもの、叱られてもしかたはない。

**イアーゴー**　一体、どうなさったのでございます？

**エミリア**　なんということでしょう、イアーゴー、オセロー様ともあろうお方が奥様を淫売呼ばわりなさったうえ、なんのかのと口汚ない辱しめの言葉をお浴びせになったりして、まともな女なら、我慢できはしない。

**デズデモーナ**　私はそんな女かしら、イアーゴー？

**イアーゴー**　そんな、とおっしゃるのは？

**デズデモーナ**　今、この人が言ったでしょう、そんな女だと旦那様がおっしゃったの。

**エミリア**　売女呼ばわりをなさったのです。飲んだくれの乞食《こじき》が、自分の女を罵《ののし》るときでも、あれほどひどい言葉は使わない。

〔Ⅳ-2〕12

イアーゴー　なぜそんなことを、オセロー様は？

デズデモーナ　解りません、でも、私がそんな女でないことだけは。

イアーゴー　お泣きなさいますな、お泣きなさいますな。まったく、なんということだ！

エミリア　降るほどの立派な御縁談をお断わりになり、親も国も友達も捨てていらしたのも、こうして淫売呼ばわりされるためなのかしら？　それでも泣かずにいられると思って？

デズデモーナ　悪い星の下に生れたのかもしれない。

イアーゴー　将軍が悪い、罰当《ばちあた》りな！　どうしてまたそんな気まぐれを？

デズデモーナ　それが、解らない。

エミリア　この首を賭けてもよろしゅうございます、どこかの底知れぬ悪党が一役買っているに違いない、おせっかいのおべっか使い、詐欺師《さぎし》の山師、この上なしの悪者が、何かうまい汁を吸おうとして企《たくら》んだ中傷としか思えませぬ、違ったら首をあげる。

イアーゴー　馬鹿《ばか》な、そんな奴《やつ》がいるものか、いるはずがない。

デズデモーナ　たとえいたとしても、神のお許しがありますよう！

エミリア　首絞め役人に許しを乞うがいい！　そんな悪党は、地獄の悪魔に骨の髄までしゃぶらせてやりたい！　でも、旦那様はどうして奥様のことを淫売だなどとおっしゃるのでしょう？　相手は誰だと言うのかしら？　いつ？　どこで？　何をもとに？　どんな御様子から、そんなことを？　ムーア様はどこかの極悪人にだまされたのです、それも、札つきの悪党、下劣な犬畜生に。ああ、悔しい、神様のお力でそんな悪人たちを明るみに引きずり出し、正直者の手に鞭《むち》を持たせて、裸にしたそいつらを寄ってたかって引っぱたいて、世界中、東の果てから西の果てまで追いかけ廻《まわ》してやればいい！

**イアーゴー**　外に聞えるぞ。

**エミリア**　ああ、呪っても足りない！　きっと同じ男の仕業です、あなたに分別を失わせ、暗い心のひだをむきだしに、ムーア様と私との間に何かあるなどと疑わせたのも。

**イアーゴー**　馬鹿が、つまらぬことを言うな。

**デズデモーナ**　ああ、イアーゴー、どうしたらいいのかしら、もう一度あの人の心を得るためには？　お願いです、主人に会ってみて。どうしてお心を失ったのか、もう私には知るすべもないのだもの。こうして、膝をついて誓います、もしも私が、心の中だけでも、行いの上でならなおのこと、あの人の愛情を裏切るような女なら、いいえ、誰にせよ、主人以外のよその男に心を奪われ、この目、この耳が、少しでも官能の喜びを味わいでもしたというのなら、そう、あの人はいつか、私を乞食のようにみじめに捨ててしまうかもしれない、だからと言って、あの人を愛さぬような私なら、今までもこれから先も、そんな心根の私なら、どうなろうと厭《いと》いませぬ、この身からあらゆる楽しみを剝《は》ぎとってしまってくださいまし！　辛《つら》く当られるのが何より悲しい。あの人に辛く当られると、まるで身を斬《き》られるよう。でも、私の愛情は変らない、「売女」だなどと、そんな言葉を口にしただけでも、たまらなくなります、ましてそんな名で呼ばれるような行いが、どうして私に出来ましょう、たとえ世界中の宝物をみんなくれると言われようと。

**イアーゴー**　お落着きくださいまし。おそらく虫の居どころが悪かったというだけのこと。政治のことで何かお気に障ることがあり、それで奥様に八当りなさったのでございましょう。

**デズデモーナ**　それだけならいいのだけれど！

**イアーゴー**　それだけのこと、間違いございませぬ。（奥でトランペットの音）それ、合図の喇叭《らっぱ》、御夕食の時間です！　ヴェニスよりの御使者も御同席をお待ちしております、さあ、お出ましを、お泣きなさいますな、万事めでたく納まりましょう。（デ

ズデモーナとエミリア退場）

ロダリーゴー登場。

イアーゴー　やあ、ロダリーゴーか！

ロダリーゴー　思うに、お前さんはおれを遇する道を知らぬのだ。

イアーゴー　何か面白くないことがあったのかね？

ロダリーゴー　いつものことさ、お前さんは何かしら逃げ口上を作って、おれをすかしてばかりいるじゃないか、イアーゴー。それに、今になってみると、お前さんがしてくれたことと言えば、おれからあらゆる手だてを奪ってしまうことだけだ、望みの綱の、ほんの端っこでも摑《つか》ませてくれることか。もう我慢が出来ない、今までのような阿《あ》呆《ほう》扱いで、おとなしく引きこんではいないからな。

イアーゴー　まあ、おれの言うことを聞けよ、ロダリーゴー。

ロダリーゴー　きみの言うことなら、もう聞き飽きた、言うこととすることとが全然つながっていないのだからな。

イアーゴー　きみの非難はまったく的外れだ。

ロダリーゴー　正に図星さ。おれは財産をすっかり使い果してしまった。きみがデズデモーナにやるからと言って持って行った宝石だけでも、道心堅固な尼さんを堕落させるに十分なものだ。きみの話では、女はそれを受取ったばかりか、すぐにもねんごろなお近づきをと、気をもたせの嬉《うれ》しい返事。だが、それきりで、後がない。

**イアーゴー** よろしい、その先を聞こう、大いに結構。

**ロダリーゴー** 大いに結構! その先を! おれは行きたくても行けないのだ、その先へ。おい、解るか、しかも、ちっとも結構じゃない。はっきり言っておくが、こいつは正に下劣ないかさまというものだ、おれだっていつまで阿呆扱いされているものか。

**イアーゴー** 大いに結構。

**ロダリーゴー** 解らないのか、ちっとも結構じゃないと言っているのが。おれはじかにデズデモーナに当ってみる。もし宝石を返してくれたら、おれはきっぱり諦《あきら》めをつけて、不法な横恋慕の非を悟るとしよう。が、返してもらえなければ、いいか、覚悟していてくれ、いずれきみから納得のゆく御挨拶《あいさつ》を頂戴するつもりでいるから。

**イアーゴー** おっしゃいますね。

**ロダリーゴー** 言うとも、言ったからには、そのとおりやって見せる。

**イアーゴー** それだ、始めて解った、お前さんにも五分の魂がある、今日、唯今《ただいま》を限りとして、わがロダリーゴー観を訂正することにする。さあ、手をくれ、ロダリーゴー。お前さんの言い分は全くもってもっともだ。しかし、おれの方でも言っておきたい、この件に関しては、こっちも終始一貫、公明正大に身を処して来たのだ。

**ロダリーゴー** そうとは受取りかねるがね。

**イアーゴー** なるほど、今日までのところはな、とすれば、疑うのもまんざら筋違いとは言えない。しかしだ、ロダリーゴー、もしお前さんに、いや、おれもさっき始めてそれがあるのを見届けて、大いに意を強うしたわけだが――それ、あの初志貫徹の勇気だ――今夜、ひとつ、そいつを見せてくれ、それで、あすの晩、もしデズデモーナとしっぽりお楽しみとゆけなかったら、さっさとおれをかたづけてしまうがいい、寝首を掻《か》こうがどうしようがお望み次第だ。

**ロダリーゴー** で、どうしろと言うのだ？ 突拍子もない出来ない相談ではないだろうな？

**イアーゴー** おい、ヴェニスから特命が来ている、キャシオーにオセローの代行をさせろというのだ。

**ロダリーゴー** 本当か？ そうなると、オセローとデズデモーナはヴェニスに帰ってしまう。

**イアーゴー** いや、違うのだ、オセローはアフリカのモーリテイニアへ行く。もちろん、美しきデズデモーナ御同伴でさ。まあ、そうなるね、奴がここを離れられないような事件でも起らない限り。そのためなら、キャシオーをかたづけるのが最も有効ということになるな。

**ロダリーゴー** どういう意味だ、奴をかたづけるというのは？

**イアーゴー** 解りきった話だ、オセローの代理が出来ないようにするのさ、あいつの頭を叩《たた》き割ってしまうのさ。

**ロダリーゴー** で、それをおれにやらせようというのか？

**イアーゴー** そうさ、もしきみに自分の利益と権利とを確保する勇気さえあればね。今夜、あの男は女郎のところで食事をする。おれはそこで奴と会うことになっている。あいつはまだ自分の栄転を知らないのだ。もしきみに奴の帰りを待伏せする勇気があるなら、それが十二時から一時までの間になるように、おれの方でうまく運んでおくから、きみはきみでお好きなように料理できるというものだ。おれがそばにいて、よろしく後見の役を勤めてやる、奴は腹背に敵を受けてお陀仏《だぶつ》さ。さあ、ぼんやり立っていないで、一緒について来るのだ。奴を殺さなければならない理由を話してやる、聞けば、お前さんも、なるほど、奴をかたづけねばならぬと思うに決っている。それ、もう夕飯時だ、闇夜《やみよ》はむだに使いなさるな。どれ、掛ろうか。

**ロダリーゴー** もう少し詳しく聞かせてもらいたいな。

**イアーゴー** いずれ納得なさいましょう。(二人退場)

13 〔第四幕 第三場〕

〔IV-3〕13

砦《とりで》の他の一室

オセロー、ロードヴィーコー、デズデモーナ、エミリア、および侍者たちが出て来る。

**ロードヴィーコー** もう結構、どうかお構いなく。

**オセロー** そうおっしゃられては、かえって恐縮、私も少し歩きたいのだ。

**ロードヴィーコー** では、奥様、これで失礼を、おもてなしには心からお礼を申しあげる。

**デズデモーナ** お出《い》でいただいて大層楽しゅうございました。

**オセロー** どうか一足お先へ。おお、デズデモーナ!

デズデモーナ　はい？
オセロー　もう寝《やす》みなさい、おれはすぐ戻って来る。侍女は退《さが》らせておくように、解《わか》ったな？
デズデモーナ　はい、そういたします。（オセロー、ロードヴィーコー、侍者たち退場）
エミリア　いかがでございます？　大分やさしくおなりのようでしたが。
デズデモーナ　すぐにお戻りになるとか。先に寝んでいてよいから、侍女を退らせておけと言っていらしたけれど。
エミリア　私を退らせておけと！
デズデモーナ　そういうお言いつけなのです、ですから、エミリア、夜着を持って来て。あとはいいからお寝み。しばらくあの人の気持に逆らわないようにしなければ。
エミリア　奥様はあの方にお会いにならなければよかったのです！
デズデモーナ　私はそうは思いません。私の心はあの人のことで一杯、どんなに酷《むご》く扱われても、叱《しか》られて、厭《いや》な顔をされても――ちょっとピンを外して――そういうあの人に、やはり私はひかれているのです。
エミリア　お指図どおり、あの敷布を敷いておきました。
デズデモーナ　どうでもよかったのだけれど。人間って、本当に愚かなことを考えるものね！　もし私の方が先に死んだら、いいこと、あの敷布で私の体を包んで頂戴《ちょうだい》。

**エミリア**　まあ、何をおっしゃることやら。

**デズデモーナ**　私の母にバーバラという小間使いがいたっけ。その娘が恋をしたの、そのうち相手の男が気が変になって、その娘を捨ててしまったのです。「柳」という歌が好きだった――古い歌だけれど、文句があの娘の運命そっくり、最後はそれを歌いながら死んでゆきました。今夜はその歌が私の頭を離れない。どうしたのか、あのかわいそうなバーバラのように首をかしげて、それを歌ってみたくてしかたがないの。さ、早くすませて頂戴。

**エミリア**　お夜着を取ってまいりましょうか？

**デズデモーナ**　それより、ここのピンを外して。ロードヴィーコーは立派な人ね。

**エミリア**　男ぶりはよろしいし。

**デズデモーナ**　お話も面白いでしょう。

**エミリア**　私のぞんじている方ですけれど、あるヴェニスの御婦人で、あの方の唇《くちびる》にちょっとでも触れられるなら、パレスチナまで裸足詣《はだしまい》りをしてもいいと言っている人がございますよ。

**デズデモーナ**　（歌う）

あわれおとめご　シカモの蔭《かげ》に吐息つく
　歌うたえ　柳の歌を
胸に手を当て　首《こうべ》を膝《ひざ》にうずくまる
　歌うたえ　柳　柳と
せせらぎ清く　おとめの歎《なげ》き囁《ささや》きぬ
　歌うたえ　柳　柳と
滴《した》り落ちる　熱い涙に石も溶け――
これをしまっておいて――
　歌うたえ　柳　柳と
早くして、すぐ帰っておいでになるから――
柳は緑　緑の枝はわが髪《かん》ざし
咎《とが》めなさるな　浮気男に罪はない――
間違った、それはまだ。あれを！　誰でしょう、戸を叩いているのは？
**エミリア**　あれは風。
**デズデモーナ**　（歌う）
あたしを捨てて　つれない男と責めたらば

歌うたえ　柳　柳と
それならお前も　よその男と寝るがよい
さあ、もう行っていいことよ、おやすみなさい。なんだか目がかゆい、泣きたいことが起る前知らせかしら？

**エミリア**　たわいも無いことを。

**デズデモーナ**　でも、よくそう言いますよ。ああ、男の人というものは！　本当かしら――教えて、エミリア――夫をだまして、ひどい恥をかかせる女がいるというけれど？

**エミリア**　おりますとも、もちろん。

**デズデモーナ**　あなたはどう、世界中全部やると言われたら、そうする気？

**エミリア**　あら、奥様なら、厭だとおっしゃいます？

**デズデモーナ**　もちろん、厭です。あのお月様に誓って。

**エミリア**　それは、お月様の前では、私だって御遠慮申しあげます、闇夜のときに結構やれますもの。

**デズデモーナ**　世界中全部やると言われたら、そうする気なの？

**エミリア**　それは、世界中と言ったら、ずいぶん大きゅうございますよ、そんなどえらい御褒美《ほうび》が、わずかの罪で貰《もら》えるとなればね。

**デズデモーナ**　あなたなら、いざとなれば、しないと思います。

**エミリア**　私なら、いざとなれば、やってのけられると思います、その代り、やってしまった以上、後始末はちゃんとつけておきます。ただし、めったなことではやりませんよ、指輪やリンネルの切れはしなどではだめ、着物だめ、下着だめ、帽子だめ、まじない程度のお手当でもだめでございます。世界中でなければいけません――御大層な話ではございませんか、間男《まおとこ》くらい、どこの誰が厭だと申しましょう、見す見す、亭主が王様になれるのでございますもの？　煉獄《れんごく》の苦しみくらい、私なら我慢いたします。

**デズデモーナ**　厭なこと、私、世界中を貰っても、そんな罪は、とても犯せない。

**エミリア**　まあ、罪と言ったところで、その世界の中の罪でございましょう、御自分の働きで世界中を手に入れてしまえば、それはつまり御自分の世界の中にある罪なのですから、早いとこ直してしまえばよろしいわけでございますもの。

**デズデモーナ**　そんな女はいないでしょうよ。

**エミリア**　おりますとも、一ダースくらい、いいえ、それどころか、自分でいたずらをして手に入れた世界が、こしらえた子宝で一杯になってしまう、そのくらいいたくさんおりますよ。でも、妻が堕落するのは夫のせいだと思います。そうでございましょう、自分では仕事を怠け放題、そうしておいて、私たちの財産を、どこかよその女猫《めねこ》に注《つ》ぎこんだり、さもなければ、急に訳のわからない嫉《や》きもちを嫉きだして、私たちを閉じこめて人前に出すまいとする。そうかと思うと、いきなり殴りつけたり、小遣銭を減らしたり――本当に癪《しゃく》にもさわります、それに、女がいくらおとなしいものだからといって、時には仕返しもしてやりたくなる――世間の亭主たちに教えてやるとよろしいのです、女房だって感じ方は同じなのだということを、見えもするし、鼻もきく、酸《す》いも甘いも解るのだって。そもそも、どういう気なのでしょう、私たちをほかの女に見代えたりするのは？　気晴らしのつもりなのでしょうか？　きっとそうなのですね。それとも、根から浮気でそうなるのでしょうか？　きっとそうなのですね。意思が弱くて、つい間違いを起してしまうのでしょうか？　それもあるのですよ。でも、そういうことになれば、私たち女にしても、浮気心はありますし、気晴らしもしたいでしょうし、意思だって弱いし、男となんの変りもございませんでしょう？　ですから、もっと取扱いをよくしてもらわないことには。それが厭だとなれば、とくと教えてやることです、私たちが悪いことをしても、それはみんな夫のすることなすことを見て覚えたのだということを。

〔IV-3〕13

**デズデモーナ**　もうお寝み、いいからお寝みなさい。（エミリア退場）神様、どうぞお力を、悪意から悪を学びませぬよう、それを鏡に自分の悪を正すことが出来ますよう！（退場）

14

〔第五幕　第一場〕

サイプラスの町なか

イアーゴーとロダリーゴーが出て来る。

**イアーゴー**　さあ、この台の後ろに立っているのだ、奴《やつ》はすぐ来る。剣の鞘《さや》を払っておけ、そいつを奴のどて腹にぐさりとな。早く、早く、びくびくすることはない、おれが附《つ》き切りでいてやる。乗るか反るかの大勝負、ほかのことは考えるな、何より覚悟だ。

**ロダリーゴー**　そばに附いていてくれよ、やりそこなうかもしれないからな。

**イアーゴー**　それ、このとおり、すぐそばにいる。勇気を出して、敵を待つのだ。

（物蔭に隠れる）

ロダリーゴー　おれはどうも気が乗らない、だが、訊《き》いてみれば、なるほどそれだけの理由がある。高が人間一匹消えてなくなるだけの話さ。それ、抜け、命は貰った。 〔V-1〕14

イアーゴー　あのにきび野郎、面《つら》の顔がむけるほど引擦《ひっこす》ってやったら、効果覿面《てきめん》、すっかりのぼせあがってしまいやがった。さてと、奴がキャシオーを殺そうと、キャシオーが奴を殺そうと、あるいはたがいに相打ちと終ろうと、どうなろうとこうなろうと、結果はこっちの得になる。ただ、ロダリーゴーが生きているとなれば、例の金と宝石、相当なものだ、そいつをどうでも返せと言ってくるだろうが、せっかくデズデモーナへの贈り物だと称して奴から捲《ま》きあげておいて――いや、それこそ出来ない相談というものだ。もしキャシオーが生き残ったとなると、日頃《ひごろ》から八面玲瓏《れいろう》の奴のことだ、こっちがひどく見劣りがしてくる。のみならず、ムーアの口からおれの言ったことが奴に洩《も》れるかもしれない――そうなれば、おれは窮地に追いこまれる。そいつは御免だ、やっぱり死んでもらうことにしよう。よし、決めた。奴《やっこ》さん、来たらしいぞ。

　キャシオー登場。

ロダリーゴー　歩きぶりで解る、奴だ。悪党め、くたばってしまえ！（突きかかる）

**キャシオー** あやうく命を落すところだった、だが、おれの上着は特別仕立て、おあいにく様だ。ためしにひとつ、そっちはどうだ。（剣を抜いて相手を刺す）

**ロダリーゴー** うわあ、やられた！（イアーゴーが後ろからキャシオーの脚を刺し、逃げ去る）

**キャシオー** これで、生涯《しょうがい》、かたわか。誰かいないか、誰か！ 人殺しだ！ 人殺しだ！（倒れる）

オセローが出て来る。

**オセロー** キャシオーの声だ、イアーゴーの奴、約束を果してくれたな。

**ロダリーゴー** ああ、悪いことを！

**オセロー** そのとおりだ。

**キャシオー** ああ、誰か、おおい！ 明りを！ 医者を頼む！

**オセロー** 奴だ、おお、出来《でか》した、イアーゴー、お前の誠実が何より嬉《うれ》しい、おれの受けた辱《はずか》しめを、そうまで親身に思ってくれるその心根が！ おれにはよい教訓だ。売女《ばいた》め、貴様のなじみはもう死んだぞ、貴様の呪《のろ》われた運命も、それ、すぐ目の前に迫っている。淫売《いんばい》、待っているがいい！ おれの心には、貴様の投げかける魔力も、その目の美しさも、もうなんの効きめもありはしない。邪淫のしみに汚れた寝床は、邪淫の血で染めてやるのだ。（退場）　〔V-1〕14

ロードヴィーコーとグラシャーノーが登場。

**キャシオー**　おい、おおい！　夜警はいないのか？　誰もいないのか？　人殺しだ！人殺しだ！

**グラシャーノー**　ただごとではない、あの上ずった声は。

**キャシオー**　ああ、誰か！

**ロードヴィーコー**　また叫んでいる！

**ロダリーゴー**　ああ、悪いことを！

**ロードヴィーコー**　二、三人いるらしい。厭な晩だ、何かたくらみごとがあるのかもしれぬ。われらだけでは危険だ、人が来るまでは近寄らぬほうがよい。（離れて様子を窺《うかが》う）

**ロダリーゴー**　誰も来ないのか？　血が止らぬ、もうだめだ。

**ロードヴィーコー**　しっ！

イアーゴーが明りをもって二たび登場。

グラシャーノー　あそこに誰か、下着一枚で飛び出して来たらしい、明りと得物を手にしている。
イアーゴー　誰だ、人殺し、人殺しとどなっていたのは？
ロードヴィーコー　さっぱり解らぬ。
イアーゴー　叫び声が聞えなかったか？
キャシオー　ここだ、ここだ！　頼む、なんとかしてくれ！
イアーゴー　一体、どうしたというのだ？
グラシャーノー　あの男はオセローの旗手だったと思うが。
ロードヴィーコー　確かに。なかなか大胆な男だ。
イアーゴー　誰だ、今にも死にそうに喚《わめ》いていたのは？
キャシオー　イアーゴーではないか？　重傷だ、ならず者に襲われた！　頼む、なんとか。
イアーゴー　おお、副官か！　どこのどいつだ、相手は？
キャシオー　一人はその辺にいるはずだ、逃げられっこない。

**イアーゴー**　うむ、けしからぬ奴らだ！　誰だ、そこにいるのは？　（ロードヴィーコーとグラシャーノーの方を窺う）ここへ来て、手を貸してくれ。

**ロダリーゴー**　おお、おれの方も頼む！

**キャシオー**　あれが片割れだ。

**イアーゴー**　おお、人殺し！　ええい、悪党め！　（ロダリーゴーを刺す）

**ロダリーゴー**　ああ、畜生、イアーゴー！　おお、人でなし、犬！

**イアーゴー**　闇討《やみう》ちなどしやがって！　悪党めら、どっちへ逃げうせたのだ？　町中、ばかに静かだな！　おおい！　人殺しだ！　人殺しだぞ！　（近寄って来たロードヴィーコーとグラシャーノーに）きみらは？　敵か、身方か？

**ロードヴィーコー**　御覧のとおり、いずれになりと御解釈次第だ。

**イアーゴー**　ロードヴィーコー様では？

**ロードヴィーコー**　そのとおり。

**イアーゴー**　失礼いたしました。キャシオーがならず者にやられたのでございます。

**グラシャーノー**　キャシオーが！

**イアーゴー**　傷はどうだ？

**キャシオー**　もろに脚を。

〔V-1〕14

イアーゴー　なに、それは大ごとだぞ！　恐れいります、明りを。ひとまず、おれの下着で縛っておこう。

ビアンカが出て来る。

ビアンカ　何かあったの？　どなっていたのは誰？

イアーゴー　どなっていたのは誰！

ビアンカ　ああ、キャシオーだ！　私のキャシオーが！　ああ、キャシオー、キャシオー、キャシオー！

イアーゴー　おお、例の淫売だな！　おい、キャシオー、目ぼしはつくか、こんなあくどいまねをしやがった敵はどこのどいつだ？

キャシオー　それが解らぬ。

グラシャーノー　まさかこんなふうにして会おうとは思わなかった、さっきからきみを探していたのだが。

イアーゴー　靴下《くつした》どめをお貸しください。そう。ああ、担架がほしいのだが、静かに運んで行かなければ！

ビアンカ　大変、気を失ってしまった！　ああ、キャシオー、キャシオー、キャシオー！

**イアーゴー**　みなさん、どうも怪しい、この女は敵の片割れではないかと思いますが。もう少しの我慢だ、キャシオー。さあ、さあ。明りを拝借。こいつ、知った顔かどうか？　なんということだ、おれの友達ではないか、同国人のロダリーゴーでは？　違う、まさか――やっぱりそうだ。ロダリーゴーだぞ。

**グラシャーノー**　え、ヴェニスの？

**イアーゴー**　間違いなし。知っているのか？

**グラシャーノー**　知っているか！　もちろんだ。

**イアーゴー**　グラシャーノー様では？　お見それいたしました。騒ぎが騒ぎなものですから、つい気がつきませず、申しわけございませんでした。

**グラシャーノー**　しばらくだったな。

**イアーゴー**　どうだ、キャシオー、傷の具合は？　おおい、担架だ、担架を！

**グラシャーノー**　ロダリーゴーが！

**イアーゴー**　はい、さようで、あの男でございます。（担架が運び入れられる）おお、待っていた、さあ、担架だ。誰でもいい、気をつけて担《かつ》いで行け、おれは将軍附きの医者を呼んで来る。（ビアンカに）おい、女、お前は手を出すな。ここに死んでいる奴だが、キャシオー、こいつはおれのよく知っている奴だ、こいつと何かいざこざでもあったのか？

**キャシオー** 何もありはしない、第一、おれはそいつを知ってさえいない。

**イアーゴー** （ビアンカに）おや、お前、顔色を変えたな？　おお、早く家の中へ運ぶのだ。（キャシオーは連れ去られ、ロダリーゴーも運び去られる）みなさん、お待ちを。貴様、顔色が変ったな？　こいつを御覧ください、すっかり目が据《す》わってしまっている。だめだ、いくら睨《にら》んだって、すぐ泥《どろ》を吐かせてやる。この女を御覧になってください、みなさん、それ、こいつを。お解《わか》りでしょう？　だめだよ、後暗い奴はすぐそれと解る、黙っていたからって、ごまかせるものか。

エミリア登場。

**エミリア** まあ、どうしたというのです？　一体、何が？

**イアーゴー** キャシオーが暗闇でやられた、相手はロダリーゴーだ。仲間がいたが、逃げてしまった。こちらは半死半生、ロダリーゴーは死んだ。

**エミリア** まあ、お気の毒に！　あのキャシオー様が！

**イアーゴー** 女遊びの罰だ。そうだ、エミリア、キャシオーに訊いて来てくれ、今夜はどこで飯を食ったか。おい、貴様、今の言葉で震え出したな？

**ビアンカ**　あの人は私のところで夕食を食べたのです、でも、私、震えなどしません。

**イアーゴー**　おお、お前のところでな？　よし、引立てる、一緒に来い。

**エミリア**　まあ、この人でなし、淫売！

**ビアンカ**　淫売じゃないよ、私は、そう言うお前さんと同じさ、まじめに暮しているんですよ。

**エミリア**　私と同じだって！　おふざけでないよ！　この人でなし！

**イアーゴー**　さあ、みなさん、キャシオーの手当てに立ち合おうではありませんか。女、お前も来るのだ。たっぷり泥を吐いてもらおう。エミリア、一走り、砦《とりで》へ行って、将軍御夫妻に事の顚末《てんまつ》をお知らせしてくれないか。さあ、皆さん、ここはひとまず引揚げましょう。（傍白）今夜が山だ、おれにとって乗るか反るかの大勝負も。（一同退場）

## 〔第五幕　第二場〕

砦の一室

デズデモーナが寝台に眠っている。オセローが明りを手にして登場、内側から錠をおろす。

**オセロー** 罪に決っている、それは罪なのだ。おれの口に、あらわにそれを言わせるな、清らかな星ども！ それは罪なのだ。あれに血を流させたくはない。どうして傷がつけられよう、雪を欺《あざむ》くその肌《はだ》の白さ、石より滑らかなその肌に――だが、どうしてもお前は死なねばならぬのだ、死ななければ、次々に男を陥《おとしい》れる。さあ、火を消せ、そうしておいて、あれの命の火を消してやるのだ。おお、この燃える焔《ほのお》なら、一度消しても、また元の姿に返せもしよう、なんの悔いることがあろう。が、お前の命の火は一度消してしまえば、名工自然の揮《ふる》った見事な鑿《のみ》の印は跡形もなくなる。プロミーシュースの火がどこにあるかを知らぬおれには、お前のうちに二度と命の火を燃えあがらせることは出来ぬのだ。（燭台《しょくだい》を置く）この薔薇《ばら》は一度捥《も》いでしまえば、二度と命の水を吸いあげはしない、枯れ凋《しぼ》むばかり。木にあるうちに、その香りを。（デズデモーナの上にかがんで、口づけをする）ああ、この息のかぐわしさ、正義の神もついには剣を折ろう！ もう一度、もう一度。死んだ後もこのままでいてくれ、お前を殺して、なおいつまでもお前をいとおしく思いつづけられるように。もう一度、これが最後だ。

かほどうるわしく、しかもかほど罪ふかい女は、世に二人といはしないぞ。これでも泣かずにいられるか、だが、おれのは厳しい裁きの涙なのだ、この悲しみは聖なる悲しみ、それは鞭《むち》となって愛する者の上に降りそそごう。目をさましたか。〔V-2〕

デズデモーナ　そこにいるのは誰？　オセロー様？

オセロー　そうだ、デズデモーナ。

デズデモーナ　もうおやすみになりません？

オセロー　夜の祈りはすませたか、デズデモーナ？

デズデモーナ　ええ、もう。

オセロー　罪を犯して、まだ神の許しを乞《こ》うていないのなら、今すぐそれを求めるがよい。

デズデモーナ　まあ、なぜそのようなことを？

オセロー　なんでもいい、そうしなさい、早くすませるのだ、おれはこの辺を歩いている、心の備えの出来ていないものを殺したくはない、そういうことはしない——断じて！——おれにはお前の霊魂を殺す気はない。

デズデモーナ　殺すとおっしゃる？

オセロー　そうだ、殺してやる。

デズデモーナ　神様、この身をお護《まも》りくださいますよう！
オセロー　おれも共に祈ろう、心から。
デズデモーナ　それなら、私を殺しなどなさるわけがない。
オセロー　はっ！
デズデモーナ　でも、あなたがこわい、いつもと違っていらっしゃる、恐ろしい目をしておいでなのですもの。なぜこわいのか、自分にも解りませぬ、後暗いことは何もしていないのだから。でも、こわいの。
オセロー　犯した罪のことを考えろ。
デズデモーナ　それはあなたを愛したことだけ。
オセロー　そうだ、そしてそのためにお前は死ぬのだ。
デズデモーナ　そのために死ぬ、それが解りませぬ、愛したために殺されなければならないというのは。なぜそのように唇《くちびる》をお嚙《か》みになるのです？　何か恐ろしい夢に憑《つ》かれていらっしゃるのね、お体がそのように震えておいでだもの、そうとしか思われない。でも、それは、まさか、まさか、私の上に。
オセロー　黙りなさい、静かに！
デズデモーナ　それなら、もう何も申しませぬ。御用をおっしゃって。

**オセロー**　あれほど大切にしていたハンカチーフを、おれはお前に与えた、それをお前はキャシオーにやってしまった。

**デズデモーナ**　誓ってそのようなことは！　あの人をお呼びになって、じかにお訊《たず》ねくださいまし。

**オセロー**　おのれの心に訊ねるがいい、偽りの誓いを犯すな。お前はいま死の床にあるのだ。

**デズデモーナ**　嘘《うそ》は申しません、でも、死ぬなどと。

**オセロー**　死ぬのだ、今すぐ。それゆえ、自分の犯した罪を洗い浚《ざら》い話してしまったほうがいい、誓いなどを立てて一々打消してみたところでどうにもならぬ。そのようなことで、今おれが呻《うめ》き苦しんでいるこの激しい夢魔を、取除くことも絞め殺すことも出来はせぬ。さあ、死ね。

**デズデモーナ**　ああ、神様、お慈悲です！

**オセロー**　おれも共に祈ろう。

**デズデモーナ**　お願い、あなたのお慈悲も！　あなたを裏切るようなことをした覚えは今日まで一度もない、キャシオーに心を寄せたなどと、そんな覚えは一度もございません。ただ友達の間に許された当り前の好意だけ、贈り物など一度もしたことはございません。

オセロー　出まかせを言うおれと思うか。あの男がハンカチーフを持っているのを、現におれは見ている。ああ、そうしてあくまで白を切ろうというのか！　おれの心臓を石と化し、このおれをただの人殺しにしてしまおうというのだな、愛の生贄《いけにえ》を捧《ささ》げるつもりのこのおれを。おれはハンカチーフを見ているのだぞ。

デズデモーナ　それなら、あの人は拾ったのです、あげたのではありません。あの人をここへ呼んで。ありのままを聞かせてもらいましょう。

オセロー　奴《やつ》からはもう何もかも聞いている。

デズデモーナ　え、何を？

オセロー　お前を思いどおりに。

デズデモーナ　どうしたと言うのでしょう？　まさか不義を犯したと？

オセロー　そうなのだ。

デズデモーナ　あの人がそんなことを言うわけがありません。

オセロー　言うわけがない、もう口がきけぬからな。イアーゴーは誠実な男だ、万事よろしく計らってくれた。

デズデモーナ　ああ、恐ろしい予感が！　まさか、殺されたのでは？

オセロー　奴にその髪の毛ほど多くの命があろうと、飽くことを知らぬこのおれの復讐心《しゅうしん》を満たすことは出来はしまい。
デズデモーナ　もう取返しがつかない、あの人は敵の罠《わな》に、そして私も同じ手に滅ぼされてしまうのだ！
オセロー　黙れ、売女《ばいた》！　おれの前で奴のために泣いて見せたいのか？
デズデモーナ　ああ、どうなさろうと恨みませぬ、でも、お願いです、殺さないで！
オセロー　降りろ、売女！
デズデモーナ　待って、今夜だけでも！
オセロー　言うな、あがくと――
デズデモーナ　せめて半時間！
オセロー　もうたくさんだ、待つことはない。
デズデモーナ　お願い、一言お祈りを言う間だけでも！
オセロー　もう遅い！　（絞め殺す）
エミリア　（戸の外で）旦那《だんな》様、旦那様！　もしもし！　旦那様、旦那様！
オセロー　あれはなんの音だ？――死ななかったのか、まだ死んではいなかったのか？　酷《むご》いおれの心にも慈悲心はある、いつまでも苦しませたくはない。こうしてやる、これでもか。

**エミリア** （外で）もしもし！　旦那様、旦那様！

**オセロー** 誰だ、そこにいるのは？

**エミリア** （外で）ああ、旦那様、一言申しあげたいことが！

**オセロー** そうだ、エミリアだ——いま開ける——死んでしまった。キャシオーの死んだことを知らせに来たらしい。騒ぎはよほど大きかったのか。はっ！　もう動かぬな？　墓石のように静かになってしまった。あの女、入れてやるか？　構うことはあるまい？　身動きしたようだぞ。そうではなかった。どうしたらよいか？　はいってくれば、あれに話そうとするに決っている——あの女に！　おれの妻に！　妻？　おれに妻はない。ああ、身も心も萎《な》えるような！　重い悲しみがこの肩の上に！　見るがいい、今こそ日月ともに蝕《むしば》まれ、蔽《おお》いかぶさる暗黒の世界におびえた大地も、ついには震え裂けるであろう。

**エミリア** （外で）お願いでございます、ぜひともお耳に入れておかねばなりませぬことが。ああ、大変なことが！

**オセロー** すっかり忘れていた、おお、はいってもいいぞ、エミリア。待て、いま開ける。垂幕を引くだけだ。どこだ？　（戸の鍵をはずす）

エミリアがはいって来る。

**オセロー**　一体どうしたというのだ、今頃《いまごろ》？

**エミリア**　ああ、旦那様、今あちらで恐ろしい人殺しが！

**オセロー**　なに、今？

**エミリア**　はい、ほんの今しがた。

**オセロー**　それこそ、月の軌道が狂ったのか、それが地球に迫るとき、狂気が人を襲うという。

**エミリア**　キャシオー様が、旦那様、ロダリーゴーというヴェニスの若者を殺してしまったのでございます。

**オセロー**　ロダリーゴーが殺された！　そしてキャシオーも！

**エミリア**　いいえ、キャシオー様は殺されはいたしません。

**オセロー**　キャシオーは殺されなかった！　では、暗殺の手筈《てはず》が狂い、復讐の膳立《ぜんだ》てに邪魔がはいったのだな。

**デズデモーナ**　ああ、間違いなの、なんでもないのに殺されて。

**エミリア**　あ、あの声は？

オセロー　あの声？　どこに？

エミリア　あっ、どうしましょう！　あれは奥様のお声だ。（垂幕を開ける）大変！誰か来て！　誰か！　ああ、奥様、何かおっしゃってくださいまし！　デズデモーナ様！　奥様、何かおっしゃって！

デズデモーナ　無実の罪で死ぬのです。

エミリア　ああ、誰がこんなことを？

デズデモーナ　誰でもない、自分の手で。さようなら、旦那様によろしく、ああ、さようなら！（死に絶える）

オセロー　おい、どうして殺されたのだ？

エミリア　それが誰に解りましょう。

オセロー　あれが言うのを聞いたな、自分の手でと、おれがやったのではない。

エミリア　そうおっしゃいました。みんなに知らせて来なければならない。

オセロー　嘘つきめ、地獄落ちだぞ。このおれが殺したのだ。

エミリア　ああ、それなら奥様は天使、それにひきかえ、あなたのような悪魔はいない！

オセロー　あれは穢《けがら》わしいことをした、売女も同然だ。

エミリア　われから奥様を辱《はずか》しめるようなことをおっしゃる、あなたこそ悪魔です。

オセロー　あれは水のように身の定まらぬ女だった。

エミリア　そういうあなたは火のように何もお見えにならないのです、ああ、奥様ほど心の正しい方がどこにおいででしょう！

オセロー　キャシオーがあれを自分の女にしていた、誰よりお前の亭主に訊《き》いてみるがいい。ああ、さもなければ、おれは地獄の真唯中《まっただなか》に逆落しだ、それだけの理由なしに、誰がこれほどの大それたことをしてのけられるか。お前の亭主が何もかも知っている。

エミリア　主人が！

オセロー　そうだ、お前の亭主が。

エミリア　奥様が不義をなさったと？

オセロー　そう、キャシオーと。言うまでもあるまい、もしあれが貞潔な女であったなら、たとえ天がこの世の代りに、完全無欠な宝石のごとき別世界を約束してくれようと、それがほしさにあれを売るようなおれではないぞ。

エミリア　主人が！

オセロー　そうだ、あの男が最初に教えてくれたのだ。誠実なたちだけに、穢わしい行いにしみこんだ汚れを、心の底から憎んでいる。

**エミリア**　主人が！

**オセロー**　何度言ったら解《わか》るのだ？　お前の亭主だと言っているではないか。

**エミリア**　ああ、奥様、悪だくみが愛を罠にかけたのです！　奥様が不義をしたと、私の夫が！

**オセロー**　そうだ、あの男なのだ、お前の夫だと言っているのが解らないのか？　おれの片腕、お前の夫、誠実無比のイアーゴーのことだ。

**エミリア**　あの人が本当にそう言ったのなら、そんな腐った魂はしんまで腐れ朽ちてしまうがいい！　何もかも承知のうえで、わざと嘘を言ったのです。ああ、奥様は世にも穢わしい奴を、あまり大事になさりすぎたのだ。

**オセロー**　はっ！

**エミリア**　どうでもするがいい、こんなことをしでかした以上、どうせ天国に行けはしないのだから。もともとお前さんにはもったいない奥様だった。

**オセロー**　黙れ、その方がためだぞ。

**エミリア**　お前さんに何が出来るものか、したければ、どうにでもおし。間抜け！頓馬《とんま》！　でく同然の解らずやだ、何をしたのか解っているのかい――剣など、誰がこわがるものか、みんなにお前さんのやったことを言い触らしてやる、殺されたって構うものか。誰か！ 誰か来ておくれ、誰か！ ムーアの奴が奥様を殺してしまったのだ！ 人殺し！ 人殺し！

モンターノー、グラシャーノー、イアーゴーらがはいって来る。

**モンターノー** 何事が起ったのだ？ おお、将軍では！

**エミリア** ああ、あなたも、イアーゴー！ 大したものだ、あなたもよそ様から人殺しの罪を背負わされる身分になったのだから。

**グラシャーノー** どうしたというのだ？

**エミリア** あなたも男なら、この悪党の言うことを黙って聞いている法はない。あなたから聞いたと言っているのですよ、奥様が不義をなさったと。解っています、そんなことを言うあなたじゃない、あなたがそんな悪党であるわけがない。言って、このままでは、私は居ても立ってもいられないのだもの。

**イアーゴー** 思ったとおりを申しあげただけだ。将軍御自身、ありそうなことだとお考えになっていたこと以外、おれは何も言わぬ。

**エミリア** でも、あれは本当なの、奥様が不義をなさったというのは？

**イアーゴー**　言った。

**エミリア**　嘘です、なんという恐ろしい嘘を。命に賭《か》けて申します、嘘です、呪《のろ》っても足りない嘘だ！　奥様がキャシオーと不義を！　相手はキャシオーだとお言いだね？

**イアーゴー**　そうだ、キャシオーが相手だと言ったさ。いいから、お前は口をふさいでいろ。

**エミリア**　誰がふさぐものか、私は言わずにはいない。御覧、奥様がお床に、殺されておいでなのだよ――

**一同**　おお、大変だ！

**エミリア**　それもみんな、あなたのそそのかしから起ったことなのだ。

**オセロー**　驚かれることはない、みな本当のことなのだ。

**グラシャーノー**　本当かもしれぬが、信じがたいことだ。

**モンターノー**　おお、理不尽にも程がある！

**エミリア**　人でなし、人でなし、人でなし！　そうだ、思い当ることがある、考えてみると――おかしいと思った。ああ、人でなし！　あのときもそう思ったのだけれど。いっそ死んでしまいたい、ああ、人でなし、人でなし！

**イアーゴー**　おい、気でも狂ったのか？　さっさと家へ帰ったらどうだ。

**エミリア**　みなさん、一言、私に言わせてくださいまし。それは、主人の言うことなら随《したが》うのが当り前でしょう、でも、今日だけはそうはまいりません。いいでしょうね、イアーゴー、私は家へは帰りませんよ。

**オセロー**　ああ、ああ、ああ！　（寝台の上に倒れる）

**エミリア**　そうだ、そうしてのたうち廻《まわ》っているがいい、この世の光を見たもののうちで、誰よりも心のきれいな方を殺した罰なのです。

**オセロー**　（立ち上りながら）ええい、この女は穢れていたのだ！　気がつきませんでした、叔父上でしたか。姪御《めいご》はここに、その息の根を、まさにこの手が止めたのだ。さぞ残忍非道の所業とお思いだろう。

**グラシャーノー**　かわいそうなデズデモーナ！　父親が死んでいてよかった。お前の結婚が大きな打撃になり、それを悲しむあまり、老いの命の細糸がついに切れてしまったのだ。生きていてこの有様に出合《でお》うたなら、それこそどうなることか、わが身を守ってくれる天使を呪い、われからそれを突きとばして地獄の責苦に身を投じていたかもしれぬ。

**オセロー**　見るも無慚《むざん》だ、が、すべてはイアーゴーが知っております、これはキャシオーと恥ずべき行いを幾度重ねてきたことか。既にキャシオーが白状しております、それのみか、女は淫《みだ》りがわしき男のふるまいに、結構、気をよくして、恋の誓いに形見の品まで与えている、しかも、それが私から始めてあれに贈ったものなのだ――男がそれを持っているのを、現に私は見ている、ハンカチーフだ、私の父が母に与えた思い出の品なのです。

**エミリア**　ああ、そうだったの！　どうしよう！

**イアーゴー**　馬鹿《ばか》！　黙っていろ。

**エミリア**　言うとも、言わずにいられるものか。黙っていろ！　いいえ、嵐《あらし》のように思う存分喋《しゃべ》ってやる、神も悪魔も恐れることはない、たとえ世界中の人間が寄ってたかって文句をつけようと、言うだけのことは言わせてもらいます。

**イアーゴー**　解らずや、いい加減にしろ、家へ帰れ。

**エミリア**　帰りません。（イアーゴーが刺そうとする）

**グラシャーノー**　何をする！　女を斬《き》る気か！

**エミリア**　ああ、ムーア様、馬鹿だ、馬鹿だ！　今の話のハンカチーフは、私が偶然拾ったのを主人にやったのです。それは、しつこいたらなかった、あんなつまらないものをどうしてそんなにと思うほど、真顔で何度も盗んで来いと言われたものだから。

イアーゴー　畜生、売女！
エミリア　奥様がそれをキャシオーに！　いいえ、とんでもない、私が拾ったのです。それを主人にやったのだ。
イアーゴー　じごく、嘘《うそ》をつけ！
エミリア　私をお信じになって、嘘は申しません、お願いです、皆さま。ああ、解らずやの人殺し！　そんな阿呆《あほう》が、あれほど立派な奥様に手が下せるとお思いなのかい？
オセロー　雷に打たれて死んでしまえ、この人非人《にんぴにん》！（イアーゴーに襲いかかるが、モンターノーに遮《さえぎ》られる、その隙《すき》にイアーゴーが後ろからエミリアを刺して逃げる）
グラシャーノー　や、エミリアが、奴《やつ》の仕業だぞ。
エミリア　そう、そうなのです。ああ、お願い、寝かせてくださいまし、奥様のおそばに。
グラシャーノー　奴は逃げてしまった、女房を殺して。
モンターノー　極悪非道の悪人だ。この刀をお預かりくださいますよう、ムーア将軍から取りあげたものです。さあ、戸口を固めろ、逃してはならぬ、いざとなればお命を頂戴《ちょうだい》するばかり。私はあの悪党を追いかけます、憎むべき下司下郎《げすげろう》だ。（オセローと

エミリアの二人を残して、一同退場）

**オセロー**　おれにはもう一かけらの勇気も残っていないのか、そこらの小ざかしい青二才がこの手から剣を捥《も》ぎ取る。が、信頼を失ってしまった男が、今さら武人の体面を思い煩《わずら》ってみたところで、どうなるというのだ。おれにはもう何も要らぬ。

**エミリア**　あの歌はなんの前知らせだったのでしょう、奥様？　さあ、聞いていらして、私は白鳥、いつもは歌を知らないのだけれど、最期《さいご》だけ歌を歌いながら死んでゆくという。（歌う）歌うたえ、柳、柳と。ムーア様、奥様はきれいなお体でお亡《な》くなりになりました、あなた様を心からお慕いして。酷《むご》いムーア様。さあ、天国が私を待っている、本当のことを話したのだもの。こうして何もかも思ったとおりを話しながら、もうだめ、私は死んでゆきます。（死に絶える）

**オセロー**　この部屋にはもう一つ刀があったはずだ、スペインの名刀、雪どけの冷たい流れで鍛えた剣が――おお、これだ。叔父上、出させていただきますぞ。

**グラシャーノー**　（戸の外で）あえて出ようとなれば、容赦はせぬ、丸腰のそなたに何が出来よう。

**オセロー**　それなら、ここへいらして、私の話を聞いていただきたい。いやだとおっしゃるなら、たとえ素手でも、お手向いいたしますぞ。

グラシャーノー二たび登場。

**グラシャーノー** なんの用だ?

**オセロー** 御覧を、刀は持っております、これほどの業物《わざもの》、かつていかなるもののふの腰をも飾ったことはありますまい。そのかみの私は、痩腕《やせうで》ながらこの名剣に物いわせ、どこであろうと一押しに押し通ったものだ、あなたなど二十人、三十人、束になって来ようと、そんな邪魔だては物の数ではない――ああ、その高言の空《むな》しさ! 誰がおのれの運命に打ち勝てようか?――だめだ、今となっては。御心配無用、刀はこうして持っているだけだ。旅の終りがすぐ目の前に、それ、私の目的地が、遠い船路の果てを告げる港の火が、すぐそこに。尻《しり》ごみなさるのか? 無用の恐れと申すもの、今のオセローは、胸に一本の葦《あし》を突きつけられただけで、手もなく退きましょう。オセローはどこへ行けばよいのか? そうだ、(寝台の方に向き)今、お前はどんな顔をしている? ああ、ふしあわせな女! その下着のように蒼《あお》ざめて! 最後の審判の日が来て、ふたたびお前に出会うとき、その顔を見ただけで、おれの魂はたちまち天から投げ出され、地獄の鬼どもに食いちぎられるであろう。冷たい、冷たい、デズデモーナ、お前の肌《はだ》は! 貞潔だったお前の心さながら。ああ、呪っても呪いきれぬ下司下郎！　おれに鞭《むち》をくれ、地獄の悪魔ども、そうしてこの清らかな姿の見えぬ地の果てまで追い出してくれ！　このおれを烈風に乗せて吹き飛ばしてくれ！　燃える硫黄の山に焼けただらせ、火の海の底深く、まっしぐらに突き落すがいい！　ああ、デズデモーナ！　死んでしまったのか、デズデモーナ！　死んでしまったか、ああ！　ああ！

ロードヴィーコー、モンターノー、および担架のキャシオー、役人に引きたてられたイアーゴーが出て来る。

**ロードヴィーコー**　どこにいる、みずから破滅を急ぎ、取返しのつかぬ不幸を招いた男は？

**オセロー**　それは、かつてオセローと呼ばれし男、これ、ここに。

**ロードヴィーコー**　かの蝮《まむし》めは？　悪党をこれへ。

**オセロー**　足を見せろ、悪魔の爪《つめ》は割れているというが、作り話らしいな、貴様が悪魔なら、剣は通らぬはず。（イアーゴーに突きかかる）

**ロードヴィーコー**　剣を取りあげろ。

**イアーゴー**　血は出ましたよ、将軍、が、死にはしない。

オセロー　口惜《くや》しいとも思わぬ、生かしておいたほうがいい。今のおれには、死はむしろしあわせなのだ。

ロードヴィーコー　おお、将軍、かつては人も及ばぬ高潔の士たりしオセロー、それが憎むべき下郎の罠《わな》に落ちて、この有様、なんと申しあげてよいのか？

オセロー　いや、なんとでも。義のための人殺しとでもお呼びいただこうか、私の行いにはいささかの私怨《しえん》も含まれてはおりませぬ、すべては義によって行なったもの。

ロードヴィーコー　この悪党、罪状は既に自白ずみだ。あなたと共謀のうえ、キャシオーを殺そうとしたと申しているが？

オセロー　そのとおり。

キャシオー　将軍、そのようなお扱いをいただく覚えはございませぬ。

オセロー　もはや疑ってはおらぬ、許してくれ。頼む、おれに代って問いただしてはもらえぬか、その悪魔の化身に、なぜ奴はおれの身も心もこうして罠にかけようとしたのか？

イアーゴー　何もおれから訊こうとするな。ごぞんじのとおり、ごぞんじのはずだ。この今を限りに、おれはもう一言も口をきかぬぞ。

ロードヴィーコー　最後の祈りもか？

グラシャーノー　拷問《ごうもん》にかけても口を割らせてやる。
オセロー　なるほど、黙っているのが一番身のためになろう。
ロードヴィーコー　将軍、まだお知らせせねばならぬことがある、たぶんごぞんじあるまいと思うが。この手紙、刺されたロダリーゴーの隠しから見つけだされたもので、それにもう一通ここに、そちらにはキャシオーはロダリーゴーの手によって殺すべしとしたためてある。
オセロー　おお、悪党！
キャシオー　地獄の悪魔、外道《げどう》！
ロードヴィーコー　一方、こちらには数々の不平不満が書きつらねてある、やはりあの男の隠しにあったもの。ロダリーゴーはどうやらこれをこの悪党に手渡すつもりだったらしい。が、察するに、イアーゴーがその先手を打って、奴に会い、うまく丸めこんでしまったのに相違ない。
オセロー　卑劣きわまる人非人！　それなら、どうしてあれを手に入れたのだ、キャシオー、あのハンカチーフを？
キャシオー　私の部屋に落ちているのを拾いました、それも今、奴が白状したことでございますが、奴がわざと落しておいたとのこと、それが奴のもくろみどおりに運んだというわけでございます。
**オセロー** ああ、あさはかな! このおれは! なんというあさはかなことを!
**キャシオー** それぱかりではございませぬ、ロダリーゴーは手紙の中で、ひどくイアーゴーを罵《ののし》っております。というのも、夜警のとき、あの男をけしかけて私に当らせた張本人はイアーゴーだったからです。おかげで私は職を免ぜられました。それのみか、つい今しがた例の男が口を割りまして——いや、死んだとばかり思っておりましたが、危うく命を取りとめ、それの申しますのに——イアーゴーがあの男を刺したのこと、そそのかしたのもイアーゴーだそうでございます。
**ロードヴィーコー** ここはひとまずお立退《たちの》きいただき、われわれと御同行願いたい。官職、指揮権、ともに剝奪《はくだつ》、このサイプラスはキャシオーが統治する。この下郎の身の上については、いずれ残酷な報復を考えよう。出来うるかぎり苦痛を長びかせるにしくはない。ともあれ、あなたを囚人として遇する、罪状をヴェニス政庁に報告するまで、それもお許しいただきたい。さあ、連れて行け。
**オセロー** しばらくお待ちを。行かれる前に、一、二、申しあげたいことが。これでも、お国のためには、多少のお役に立ったこともある、それはどなたにも認めていただけよう。今さら何も申しあげますまい。この不幸な出来事を報告されるさいにも、どうかありのままをお伝え願いたい。お庇《かば》いくださるには及ばぬ、もとより悪意の曲解もなさらぬよう。ただどうしてもお伝えいただきたいのは、愛することを知らずして愛しすぎた男の身の上、めったに猜疑《さいぎ》に身を委《ゆだ》ねはせぬが、悪だくみにあって、すっかり取りみだしてしまった一人の男の物語。それ、話にもあること、無智《むち》なインディアンよろしく、おのが一族の命にもまさる宝を、われとわが手で投げ捨て、かつてはどんな悲しみにも滴《しずく》ひとつ宿さなかった乾き切ったその目から、樹液のしたたり落ちる熱帯の木も同様、潸然《さんぜん》と涙を流していたと、そう書いていただきたい——それから、もう一言、いつであったか、アレッポの町で、ターバンを巻いたトルコの不頼漢が、ヴェニス人に暴行を働き、この国に悪罵《あくば》の限りを尽しているのを見かけたことがある、そのとき、この手で、その外道の犬の咽喉《のど》もとを引きつかみ、こうして刺し殺してやったと。(みずからを刺す)

**ロードヴィーコー**　おお、痛ましい最後を!

**グラシャーノー**　もう何を言っても始まらぬ。

**オセロー**　お前を殺す前に、口づけをしてやったな。今、おれに出来ることは、こうしてみずからを刺して、死にながら口づけすることだ。(寝台の上に倒れて死に絶える)

**キャシオー**　こうなりはせぬかと恐れていたのだが、まさか刀をお持ちだとは。高潔なお心の持主でしたから。

**ロードヴィーコー** （イアーゴーに）ええい、スパルタ犬め、その残酷無比なること、この世のいかなる苦痛も飢餓も、荒れ狂う大海原さえ、貴様には遠く及ばぬ！ これを見ろ、寝床の上に折り重なるこの悲惨な姿を――みんな貴様の仕業だぞ。見てはおられぬ、幕を引いてくれ。（人々垂幕を引く）グラシャーノー、この館《やかた》の始末を頼む、ムーアの財産はその手で御管理いただきたい、いずれあなたに御相続いただくことになろう。総督には、この人非人の処刑をお任せする、時、所はもとより、処罰拷問の方法も自由に、おお、なんの仮借が要ろうか！ この身はただちに船に乗りこみ、この悲しい物語を本国に伝えねばならぬ。（一同退場）

# 解題

福田恆存

## 一

『オセロー』上演に関する記録中最古のものは宮中大膳職《だいぜんしょく》年間行事録のそれで、そこには、一六〇四年十一月一日が万聖節《ばんせいせつ》に当るので、国王劇団により「ヴェニスのムーア人」が上演されたとある。「ヴェニスのムーア人」とは言うまでもなく、『オセロー』の副題であり、第一・四折本、第一・二折本以来、今日までその名で通っている。しかし、大膳職の記録をそのまま新作『オセロー』初演の日と見なすわけにはゆかない。ただ『オセロー』が一六〇四年十一月一日以前の作であることだけはこれにより確《たしか》である。

一方、当時の劇作家デカーとミドルトン共作の脚本に『正直な娼婦《しょうふ》』という作品があり、これは同年三月十四日以前に書かれた確証があるのだが、その中に、妻を殺した男を非難する言葉として「ムーアより残忍だ」という箇処が出てくる。これは明かに『オセロー』への言及と見なされ、したがって『オセロー』は一六〇四年の春には既に上演されていたと見なさねばならない。のみならず、一六〇三年に出版された『ハムレット』の悪《あ》しき四折本には、もぐりの役者が『オセロー』劇に出演していたことを仄《ほのめか》す言葉が数回にわたって出てくる。それから推せば、『オセロー』は遅くとも一六〇三年春頃《ごろ》までには既に上演されていたということになる。さらにその他の事実から、ドーヴァ・ウィルソンは一六〇二年頃の作と推定し、『ハムレット』作後あまりたたぬうちに書かれたものだろうと言っている。

『オセロー』の定本決定において、拠《よ》るべき版は二つある。一つは作者死後の一六二三年に出た最初の戯曲全集第一・二折本中のそれであり、もう一つはその前年に出た単行の四折本である。問題はどちらを、いかなる理由によって採るべきかにある。その前に断っておかねばならぬことがある。シェイクスピアの戯曲のうち、作者の生前に単行本として出版されたものは、かならず四折本であって、二折本形式は第一・二折本全集以後のものであるが、言うまでもなく、彼の戯曲作品全部が生前に四折単行本として刊行されたわけではなく、第一・二折本において始めて活字になった作品もある。作品総数三十六篇中、全集前に四折単行本形式で刊行されたものは十九篇あるが、そのうち『ペリクリーズ』のみが第一・二折本全集に脱落しており、したがって、その全集収録作品数は三十五篇になる。それはよいとして、四折単行本十九篇中『オセロー』以外はすべて生前、しかも大抵はそれぞれの上演された年、あるいはその後の数年間に出ており、『オセロー』だけが、死後十一年目、上演後約二十年目に出版されているのである。ということは、四折単行本として刊行されはしたものの、他の十八篇とは全く意味が異なり、第一・二折本において始めて活字になったその他の作品と同一に見なしてよいものだということを意味する。

ところで、『オセロー』に関しては、第一・二折本のそれと第一・四折本のそれと、どちらが善本か。新修シェイクスピア全集の『オセロー』ではウィルソンはアリス・ウォーカー女史と共同校訂に当り、第一・二折本全集の方を採用している。もちろん、第一・四折本からも大いに採っており、むげにその価値を否定するようなことはしていない。もっとも、第一・二折本優位説はなにもウィルソンだけではなく、過去の大抵の校訂者がそうであった。ただウィルソンは両版本の関聯《かんれん》において、それを主張する。ウィルソンによれば、一六二二年刊四折本は、上演のために「カット」された劇場用台本、それもごく不注意な写しを基にして印刷されたものだという。第一・四折本は第一・二折本に比して百六十行少いが、そのうち印刷過程における脱落を考慮に入れるにしても、大部分は上演の便宜のために削除されたと見てよいと言う。事実、その箇処を一々検討してみると、ウィルソンの言は大体妥当のように思われる。

それなら一六二三年の第一・二折本はどういう過程で作られたか。これも簡単に結論だけを言うと、第一・四折本を、おそらく作者自筆の、あるいはそれに近い、信頼しうる原稿と参照しながら訂正したものを基にして上梓《じょうし》したのだろう、ウィルソンはそう推定している。しかし、この二折本の原本作製者、植字工を全面的に信用しえぬことは言うまでもない。さらに校正者の間違い、または不穏当な語句などの意識的な削除などが当然行われたはずである。

要するに、ウィルソンたちはそれらの暗礁《あんしょう》を避けるべく最善の注意を払いながらも、大本においては第一・二折本の潮の流れに乗り、機に応じて第一・四折本の潮流をも利用し、ようやく現在の新シェイクスピア全集版『オセロー』(一九五七年刊)に到達したわけである。彼等の苦心に感謝すると同時に、それに拠った私の訳に従来の訳本と異なった箇処がかなりあることをお断りしておく。ウィルソン校訂の新シェイクスピア全集は、どの作品も最新の研究資料に基くものであるが、ことに『オセロー』は細部において従来の定本と異なったところが多いからである。

## 二

『オセロー』の材料ははっきりしている。一五六六年、ヴェニスにおいて刊行されたツィンツィオの『百物語』第三篇第七話がそれである。英訳は一七五三年まで出ていないが、仏訳は一五八四年に出ている。したがって、シェイクスピアはそれをイタリー語の原文で読んだか、仏訳で読んだか、いずれかということになるが、彼が仏語を十分に読みこなすほど堪能《たんのう》であったかどうか疑問であり、ましてイタリー語が読めたとは考えられない。おそらく当時早くも英訳が出ていて、シェイクスピアはそれを読んでいたのではないか、そしてその版は早く消滅してしまって今日残っていないのではないか、そう想像する人もいる。あるいはまた、シェイクスピアは誰か原文を読んだ者から、詳しく話を聞いていたのではないかとも考えられる。

アーデン版の附録に原作の大部分が英訳されている。シェイクスピアが原作の散文をいかに脚色し劇に仕立てあげるか、この場合とくに興味ふかくうかがえるので、それをさらに飜訳して紹介しておこう。ツィンツィオの物語もまずムーアとデズデモーナとの恋から始る。ムーアは美丈夫で、ヴェニス政庁に重んぜられている軍人である。

それに慎《つつま》しく美しいデズデモーナが恋をする。二人はヴェニスで幸福な日々を送っているが、やがてサイプラス守備隊の編成変えがあって、ムーアはその指揮官に任命される。この原作でも、デズデモーナの積極的な請《こ》いによって、ムーアはサイプラスへ妻を連れて行くことになる。以下、ツィンツィオは次のように話を進める。

ムーアの部下に、美男ではあるが非常に腹黒い旗手がいた。この旗手をムーアはことのほか寵愛《ちょうあい》していたが、その腹黒さには気づいていなかった。彼は内にある邪心を、美しい立派な言葉やその風采《ふうさい》をもって覆《おお》い隠し、勇者ヘクトールかアキレスのようにふるまっていた。この悪党もまた身分のある美しい妻をサイプラスへ連れて来ていた。同じイタリー人である彼女は、ムーアの妻に深く愛され、二人は毎日をほとんど一緒に過した。また同じ隊にムーアの最も気に入りの隊長がいたが、彼はムーアの家へ頻繁《ひんぱん》に出入りし、ムーアやその妻と食事を共にしていた。デズデモーナは夫がこの男を高く評価していることを知っていたので、出来る限りの深切をその男に示した。それがムーアを深く喜ばせた。腹黒い旗手は、妻にたいする貞節、ムーアに対する友情、忠節、義務を顧みず、デズデモーナを強く愛するようになり、あらゆる智慧《ちえ》を絞って彼女を喜ばせようとした。が、彼は万一ムーアに見つかった場合、たちまち殺されてしまうであろうことを恐れて、本心を見せぬように気を配っていた。それでも彼は自分の恋を相手にだけは通じさせようと、ひそかに肝胆をくだいたが、女はムーアのことしか念頭になく、旗手、あるいは他のいかなる男にも全く心を留めなかった。かくして女の心に愛を吹きこもうとした旗手の努力はすべて徒労に終った。彼は、それというのもデズデモーナが隊長に惚《ほ》れこんでいるためだと思いこみ、この邪魔者を取り除く決心をした。さらに女にたいする彼の恋は激しい憎悪《ぞうお》に変り、隊長を殺したあとで、たとえデズデモーナを自分の思いどおりにしえなくとも、ムーアもまた女を思いどおりにできなくなるようにするには、どうしたらよいかと彼は考えた。そうして卑劣な計画をあれこれ思いめぐらしたあげく、ついに彼はデズデモーナに不義の罪を負わせ、ムーアにはその相手が隊長であるかのように思いこませようと決心した。しかし、ムーアのデズデモーナにたいする並々ならぬ愛情と、隊長にたいする友情とを知るに及び、彼はムーアをよほど巧みに欺《あざむ》く以外に、二人のうちいずれを破滅させることも不可能であると悟った。そこで、彼はこの卑劣な策略を実行する適当な時機と場所とを静かに待つことにした。間もなく、隊長が警備中の兵士を剣で殴りつけ傷を負わせるという事件が起り、ムーアは止《や》むなく隊長を免職した。デズデモーナはこのことを少からず心痛し、度々《たびたび》夫と隊長との仲を取りなそうとした。その間、ムーアは妻がひどく隊長のことを気に病んでいるので、いずれは彼を復職させなければならないだろうと、腹黒い旗手に語ったことがあった。それが腹黒い男の頭に、ある陰謀を思いつかせるきっかけになった。「多分デズデモーナ様に奴《やつ》のことで気をもむだけの理由があるのでしょう、」と彼は言った。「なぜだ？」とムーアは問い返した。「私の本意ではございません、」と旗手は答えた、「あの男と奥様とのことに口出しなどしたくないのです、しかし、目を開いてさえおいでになれば、自然にわかることです。」旗手はムーアの警戒を恐れてそれ以上語ろうとしなかった。しかしこの言葉はムーアの心に、その意味を考えるだけで恐しくなるような大きな不安を残した。そして彼はすっかり陰気になってしまった。

ある日、妻が隊長にたいする彼の怒りを柔げようとして、あんな小さな過ちのために長い間尽してくれたあの男の忠勤と友情とを忘れてしまうべきではない、それに傷を負った兵士と隊長とは全く和解したのだからと言うと、ムーアは腹を立てて、こう言った、「どうもおれにはわからない、デズデモーナ、お前はおかしいくらいあの男のことにこだわるが、あいつは兄弟でもなければ親戚《しんせき》でもないのだ、それなのにどうしてあの男のことをそうまで気にするのだろう。」夫人はやさしく答えた、「私にお怒りをおうつしになってはいや、ただ私はあの方との深い友情が失われるのを見るのが辛《つら》いだけなのです。あなたのおっしゃったことから判断して、あなたがこうまであの方をお憎しみになる、それほどの過ちをあの方が犯したとは思えません。でも、あなたはムーア人で、気性が激しいため、ほんの些細《ささい》なことでもあなたを怒り狂わせ、復讐《ふくしゅう》に駆りたてるのでしょう。」ムーアは一層憤激して答えた、「知らない者も感じることは出来る。自分が受けた苦痛にたいしてはなんとしても復讐してやる。そうすれば気がすむというものだ。」夫人はこの言葉に非常な恐怖を感じ、いつになく自分に激しい怒りを示した夫を目の前にして控目に言った。「ただ私は善意から申しあげているだけ、ですから何も私にお怒りにならないで、もう二度とこのことについては申しあげません。」妻が隊長のことで再三懇願するので、ムーアは旗手の言葉からデズデモーナが彼に愛情を懐《いだ》いているのだと思いこみ、悄然《しょうぜん》として旗手を訪れ、もっと腹蔵なく話してくれと頼んだ。旗手は夫人を罪に陥《おとしい》れようとして、初めは彼に不快な思いをさせたくないから、これ以上言いたくないというように見せかけ、ムーアがなおも懇願するのを待って言った、「あなたにこの上ない苦痛を与えるようなことを申しあげねばならぬのは、全くのところ辛いことなのですがたってのお頼みとあれば、あなたを上司としてお仕えせねばならぬ自分のことでございますし、お望みをお満しし、自分の義務を果すためにはどの道申しあげねばならぬことでございましょう。何はさておき、奥様があなたを疎《うと》んじて隊長などにお目をおかけになるなど、由々《ゆゆ》しきことでございます、それも、あの男が始終お宅に出入りするうち、なんとなく官能がくすぐられるからであり、要するに奥様はあなたの黒い肌《はだ》の色が厭《いや》になったのでございます。」この言葉はムーアの胸を奥深く突き刺した。しかし、彼はなおも確めたいと思い（彼はすでにそういう疑いを懐いていたために、旗手の言葉をそのまま信じてしまったのだ）、血相を変えて言った、「よくもありもしない妻の醜聞を言い立てたな、その舌を切取ってやる！」そこで旗手は答えた、「このようなことを申しあげて、あなたに取入ろうというのではございません。ただ当然の務めと思いますし、またあなたの名誉をお穢《けが》ししたくないと願っておればこそ、ことの次第をそのまま申しあげるわけでございます。もっとも、かりに奥様の愛情があなたの目を欺き、当然見るべきものもお見えにならなくなっておいでだからと申して、それだけでは真実を申しあげる気にはなれません。あの隊長自身が完全な幸福というものは他人と分け合うことによって始めて得られるものだと、いかにもそう言わぬばかりに、事実を私に語って聞かせたからでありあます。」そしてさらに彼は附《つ》け加えた、「あなたのお怒りを恐れなかったならば、奴がそう言ったとき、私は奴の当然受ける報いとして、奴を刺し殺していたに違いありません。

ですが、誰よりもあなたに関係のあることをお話しした報いがこんなことであるならば、いっそ何もお話ししないほうがましでした。黙ってさえいれば、御寵愛を失わずにすみましたのに。」それを聞いて、ムーアは激して言った。「この目に貴様が話したとおりのことを見せてくれぬ以上、黙っていたほうがましだったと思い知らせてやるから、そう思え。」「以前なら、それもたやすい事でした、」と腹黒い男は答えた。「彼がよくお宅へ出入りしていた時分でしたらともかく、奴を閉め出しておしまいになった今となっては、まあ、難しいといえば難しくなってしまいました。ですが、あなたがその機会さえ与えておやりになれば、奴がいまだにデズデモーナ様と歓《かん》を通じていることが、きっとお解りになりましょう。しかし、奴はあなたに嫌《きら》われ、以前にも増して注意深くなっているに決っております。とは言っても、とても信じたくないとお思いになるようなことを、御覧に入れる望みはまだまだございましょう。」このような会話を交して二人は別れた。

不幸なムーアは鋭い矢で射ぬかれたような心持を懐いて家に帰り、旗手が永久に自分を不幸に陥れてしまうような事実を見せてくれる日の来るのを待った。しかし、覚悟していたことだが、慎み深い夫人の貞操は呪《のろ》うべき旗手を大いに狼狽《ろうばい》させた、ムーアに語った嘘《うそ》を信じさせる方法がないように思われたからである。彼はあれこれと思いめぐらしたあげく、新しい悪質な方法に思いついた。すでに述べたように、ムーアの妻はしばしば旗手の家を訪ね、その妻と終日過すことが多かった。ふとしたことから、旗手は夫人がハンカチーフを持ち歩いていることを知った。ムーア人独得の方法で非常に巧妙につくられたそのハンカチーフは夫が与えたものだった。それは夫人にとってもムーアにとっても同様に貴重なものであった。それを夫人に気どられぬように盗み取り、それを材料にして自分の陰謀の仕上げをしようという考えが頭に浮んだ。旗手には三つになる少女がいて、その子をデズデモーナは大層かわいがっていた。ある日、夫人がこの悪党の家を訪ねたとき、彼はその少女を腕に抱きあげ、夫人の膝《ひざ》の上にのせた。彼女は子供を胸に抱きしめた。その間に、手先の器用なこの悪党は巧みに夫人の腰帯からハンカチーフを抜取ってしまった。彼女はそのことに全く気づかず、上機嫌《じょうきげん》で子供を返した。そして何が起ったかも知らずにデズデモーナは家へ帰ったが、そのあとも色々と考えることが多くて、ハンカチーフを失っていることに気づかなかった。が、二、三日して、それに気づき、探してみたが見つからないので、前にもよくあったように、ムーアがハンカチーフのことを尋ねはしないかと気をもんだ。好機を摑《つか》んだ悪党の旗手は、隊長を訪問し、うまく策略を用いて、彼の寝台の枕《まくら》もとにハンカチーフを置いて帰った。隊長は翌朝までハンカチーフのあることに気づかなかった。翌朝寝床から起き出たときに、下の床にハンカチーフが落ちているのに気づき、それを拾いあげた。が、彼はどうしてそれがこんな所にあるのか理解できなかった。しかし、そのハンカチーフがデズデモーナのものであることを知っていたので、彼はそれをどうして返したものかと思い惑った。彼はムーアが家を出て行くのを見とどけてから、裏口へ廻《まわ》り戸を叩《たた》いた。が、運命は旗手とぐるになって、哀れな夫人を死に追いやるかのように、ちょうどそこへムーアが帰って来て、戸を叩く音を聞き、窓辺に寄って荒々しく言った。「戸を叩くのは誰だ？」　ムーアの声を聞いた隊長は、彼が降りて来て自分に危害を加えはしないかと恐れ、一言も答えずに逃げてしまった。ムーアは階下へ降りて来て、戸を開け、往来に出て辺りを見廻したが、男を見つけることはできなかった。そこで彼は不機嫌になって、家に戻ると、妻に向って、今そこで戸を叩いていたのは誰かと訊《たず》ねた。夫人は知らないと答えた。事実そのとおりであった。が、ムーアは言った。「隊長のようだったぞ。」「あの方だったかどうか、私には解《わか》りません。」と彼女は答えた。ムーアは怒りに燃えてはいたが、それを外に表さなかった。彼は旗手に顚末《てんまつ》を伝えるまでは何もしたくないと思い、直ちに旗手を訪ね、事の経緯をすべて語り、隊長から出来るだけ何か嗅《か》ぎ出してくれるようにと頼んだ。旗手は事がうまく運んだことを喜び、そうすることをムーアに約束した。

そしてある日、彼は隊長と話しているところをムーアに見えるようにして、夫人のことだけ話から除いて色々のことを話しかけ、ひどく相手を笑わせ、自分の方は何か唯事《ただごと》でない話を聞いてでもいるかのように、手振り身振りを混えて、さも驚いたふうな大仰な仕草をして見せた。二人が別れるとすぐムーアは旗手の所へ走り寄り、あの男は一体どんなことを話していたのかと問うた。旗手はなかなか口を割らず、再三懇願させた後にこう言った、「奴は私には何も隠さず、あなたが外出された機会を狙《ねら》っては、奥様とうまくやっていたと申しておりました。しかも、この前、奥様と一緒だった時に、例の御結婚の記念のハンカチーフを貰《もら》ったのだと申しました。」

ムーアは旗手に感謝した。そして妻がハンカチーフを持っているかいないかを確めてみさえすれば、旗手の言うことが間違っているかいないか明瞭《めいりょう》になると思った。

そういうわけで、ある日、夕食をすませた後、ムーアは夫人と二、三、会話を交してから、ハンカチーフを持っているかと訊ねてみた。不幸なことに、この問いを恐れていた夫人は、顔を紅《あか》め、じっと凝視しているムーアの眼《め》にそれと気づかせまいとして、箪《たん》笥《す》の前に駆け寄って、ハンカチーフを探すようなふりを装った。かなり長い間探した後「どうしたのかしら、」と彼女は言った、「いくら探しても見つからないなんて——あなたがお持ちになっていらっしゃるのではなくて?」「おれが持っているとしたら、」と彼は言った、「どうしてお前に訊《き》いたりするか? まあ、後でもっとよく探してみるがいい。」ムーアは一人になると、妻を隊長もろとも誰にも怪しまれずに殺す方法はないものかと考え始めた。昼となく夜となく彼はそのことばかり考えていた。そういう彼の態度が以前と違ってきたことに気づいた夫人は時おり夫に聞いてみた、「どうかなさいましたの? なぜそのようにふさぎこんでおいでなのです? 誰よりも陽気だったあなたが、この頃はすっかり陰気におなりになってしまった。」ムーアはあれこれ言いつくろったが、彼女の気は少しも安まらなかった。ムーアをこれほど苦しめるようなことは何もした覚えはなかったけれども、おたがいに始終相手の顔を見て暮していることが、かえって彼の重荷になっているのではないかと思ってもみた。そして彼女は時々旗手の妻にこんなことを言った、「どんな風にムーアのことを考えたらいいのか解らないの。いつも私に大層やさしくしてくれていたのに、ここ二、三日、全く別人のようになってしまって。私、両親の意思に逆《さか》って結婚した者の見本になるのではないかしら。イタリーの女が私から学べることと言ったら、性格や習慣の違いがおたがいを不和にしてしまうような男を追いまわさないということなのね。」「でも、あなたの御主人とは親しい間柄《あいだがら》だから、何か打明けて話しているかもしれない。お願いだから何か聞き出せたら、知らせて頂戴《ちょうだい》。きっと助けてくださいね。」そう言いながらも、彼女は烈《はげ》しく泣き続けていた。何もかも知っている旗手の妻は（夫が彼女に夫人を殺させようとしたが、彼女はどうしても同意しなかったのだ）夫を恐れて何も語ろうとはしなかった。そして、ただこう言っただけだった。「旦那《だんな》様に疑いを起させないように注意して、ひたすら奥様の愛情と貞淑を信じさせるようにすることしかございません。」「そうします、」と彼女は言った、「でも、どうしてもだめかもしれない！」

一方、ムーアは色々手を尽して、望ましからぬ事実を確認しようとしていた。そこで彼は旗手に頼んで、隊長がそのハンカチーフを所有しているのを見きわめられるように手配してくれと言った。それは困難なことではあったが、とにかくこの悪党は、なんとかそうできるように骨を折ろうと約束した。ところで、隊長の家へよく来る女で白い麻布にみごとな刺繡《ししゅう》をする者がいた。その女が例のハンカチーフを見つけ、それがムーア夫人のものだとわかると、彼女に返す前に、それと同じものを一つ作りたいと思いついた。ところが、彼女が刺繡しているところをたまたま旗手が見かけ、なお女が窓近く腰掛けているので、道を通る者なら誰の目にもつくことも確めた。そこで彼はこのことにムーアの注意を向けさせた。それを見たムーアは、あの誠実な妻が実は姦婦《かんぷ》であると完全に思いこんでしまった。そこで彼は旗手と共に、妻と隊長とを殺す計画を立てた。二人はその手段をあれこれ論じあった。ムーアはこれから先ずっと旗手を取りたてることを約し、隊長を殺すようにと頼んだ。隊長は勇敢であるうえに機敏でもあったので、ただちに実行にかかるのは困難でもあり危険でもあると言って、旗手があまり乗り気でないので、ムーアは多額の金を与えて熱心に頼みこみ、とどのつまり、相手が一かばちか、とにかくやってみようと言いだすまで漕《こ》ぎつけた。二人の間にこの話が取りかわされて後、ある夜、隊長が気ばらしにはいった淫売《いんばい》の家を出てきたところを、旗手は夜陰にまぎれ、抜身を手にして襲いかかり、脚に切りつけ、相手を地に倒した。うまくその一撃が右股《みぎもも》に当り、その倒れた体の上に旗手は馬乗りになって止《とど》めを刺そうとした。しかし隊長は勇敢な男で、流血や殺人には慣れているので、自分も剣を抜きざま、傷を負ってはいたものの、いきなり身構えて大声で「人殺し！」と叫んだ。

これを聞きつけて、近くに宿泊していた兵士や町民が駆けつけて来た。それを知ると、旗手は摑《つかま》っては事だと慌《あわ》てて逃げ去った。そして町を一廻りして帰って来て、自分も警報を聞いて駆けつけて来たように装った。そして、人混みにまぎれて、相手の半ば切断された脚を確め、たとえまだ生きていても、いずれはあの一撃が因《もと》で死ぬに違いないと思い、大いに満足した。だが、彼はあたかも隊長の兄弟ででもあるかのようにひどく悲しんで見せた。朝までには町中にこの事件の噂《うわさ》が拡《ひろが》り、それがデズデモーナの耳にも達した。やさしい気性の彼女は、それが自分に害を及すことになるとは知らず、心から男のために悲しんだ。が、それを見てムーアの邪推はいよいよ激しくなった。ムーアは外に出て行き、旗手を見つけると、こう言った、「馬鹿《ばか》な奴だ、あれは、今度のことで気を失わんばかりに嘆き悲しんでいる。」「ほかに考えようはありませんな、」と旗手は言った、「やはり奴は奥様の魂なのですな。」「何、あれの魂だと？」とムーアは言った、「その魂をあれの体から引きぬいてやる。こんな不正をこのままにしておくようなら、おれを男と呼んでくれるな。」そして二人はなおも夫人を殺すのに、毒薬にするかナイフにするかを論じ合った後、そのいずれでもない方法を思いついた。

以上がツィンツィオの直訳である。さらに旗手は疑われずに殺人を犯す計画を進言する。ストッキングに砂をつめてデズデモーナを打ち殺し、天井の腐った梁《はり》をその上に落して、事故死のように見せかけようというのである。計画は成功する。が、その後、ムーアは死んだ妻を悼《いた》むあまり錯乱状態になり、やがて旗手を憎み、免職する。旗手は復讐をもくろむ。隊長を説いてヴェニスに逃げ、彼の脚を傷つけたのもデズデモーナを殺したのもムーアであると告げる。隊長は政庁に訴え、ムーアは捕えられて、ヴェニスに連れて来られる。しかし彼は黙して語らない。止むなく政府は彼を追放処分にするが、その後、デズデモーナの親戚に殺される。旗手もやがて事実が露顕し、拷問《ごうもん》を受け、命を落すのである。

三

一五九九年に書かれた『ジュリアス・シーザー』以後、シェイクスピアの作品に暗い影がさしはじめた。それがおよそ十年続く。この期間を普通「悲劇時代」と呼んでいるが、なるほどその間に書かれた十四篇のうち九篇までが悲劇であり、しかもそれらはいずれもシェイクスピア悲劇の代表作ばかりである。極言すれば、シェイクスピアが最もシェイクスピアらしい悲劇を書いたのはこの期間だけだとも言える。その九篇というのは、『ジュリアス・シーザー』『ハムレット』『トロイラスとクレシダ』『オセロー』『リア王』『マクベス』『アントニーとクレオパトラ』『アセンズのタイモン』『コリオレイナス』である。このうち『ハムレット』『オセロー』『リア王』『マクベス』を「四大悲劇」と呼んでいる。

だが、この四篇のうち『オセロー』には、「偉大なる悲劇」と呼ぶにはふさわしくない何かがある。あるいは『リア王』を除いて、『ハムレット』『マクベス』と共有している「弱点」が、この『オセロー』において一番あらわにうかがえるように思われる。エリオットは『ハムレット』の中には、主人公の激しい感情の揺れにたいして、それを必然ならしめ、かつそれを受けとめるに足る対応物が欠けていると評した。私はその評をそのまま肯定しようとは思わない。ウィルソンの言うように、それはハムレットという人物を作品『ハムレット』の外に連れ出してしまう試みであろう。が、エリオットの評もある程度まで当っている。それを私流に飜案して言えば、ハムレットは一人相撲の空廻りをしているということになる。それにもかかわらず、ハムレットは行動している。つまり空廻りする感情や心理を内面の世界にだけ止めず、外に向って発散させてゆくので、無理にも自分の手でそれに相当する対応物を造りあげてしまう。ハムレットの想像力が幻影を生み、行動を導き出し、外界を変える。マクベスもまた魔女のうちに幻影を見る。それにそそのかされ、妻に助けられてではあるが、やはり行動に踏み切り、外界を動し変えてゆく。

しかし、『オセロー』においては、行動し、外界を変改しようとする意思の担い手《にな　て》はイアーゴーであって、主人公のオセローではない。『ハムレット』の亡霊が、『マクベス』の魔女が、ここではイアーゴーというはっきりした現実の人物になって劇を推進する。オセローの方は歌舞伎でいう「辛抱立役《しんぼうたちやく》」である。劇の渦中《かちゅう》にあって専《もっぱ》ら受身の姿勢でその渦《うず》に堪《た》えていなければならない。彼がイアーゴーから劇の主導権を奪取するのは、最後の場においてデズデモーナを殺し、さらにみずからを刺し殺すときであり、しかもその瞬間においてイアーゴーの計画は完全に成功したのである。魔女に誘惑されたマクベスは、劇の前半において既に殺人という決定的な行動に出ているのに、オセローは終幕まで動かない。なるほど、三たび妻にたいして自分の疑いを打ちつける、が、厳密に言えば、疑いをではなく、怒りを打ちつけるのである。ハムレットがそうするとき、口に出しては危険な疑いだからという弁護が成立つかもしれぬが、オセローにその弁護は通用しない。彼は身になんの危険も受けることなしに、事実を確めることが出来たはずだ。が、オセローは自分の疑念を内面に閉じこめ、それにじっと堪えているだけである。

ハムレットもマクベスも超自然の力を借りて、危く行動の切っかけを摑むのだが、『オセロー』劇には超自然の要素が欠けており、またオセローのうちにその幻影を見る想像力が欠けている。オセローは自分の内部から行動を推進してゆく悲劇的性格をもたない。むしろ調和的、現実的な性格の持主なのである。『オセロー』を「偉大なる悲劇」と呼ぶにふさわしくない「弱点」と私が言ったのはその意味においてである。そのことと関聯《かんれん》して指摘しておきたいことが二つある。その一つは、オセローのせりふには、他の悲劇の主人公に較《くら》べて詩がないということである。それが詩的に美しくないという意味ではない。リア王やハムレットやマクベスのように、オセローは言葉をまじないとして自己の可能性を喚《よ》びだし、自己を行動に追いやるということをしないのだ。唯一《ゆいいつ》の例外は最後のせりふだけである。概してオセローのせりふは短く、少い。他の悲劇の主人公に較べてばかりでなく、イアーゴーよりも遥《はる》かに少い。シェイクスピア悲劇の主人公としては珍しい例外である。

もう一つ言っておきたいことは、『オセロー』には「宇宙感情」とでも呼ぶべき一種の雰囲気《ふんいき》が薄弱だということである。この言葉によって私が何を意味しているかは、いずれ『リア王』あるいは『あらし』の解題において述べるつもりだが、私はそこにシェイクスピアの最もシェイクスピアらしい面目を見る。それはシェイクスピア以外のどの作家にも感じられないものだ。私の知るかぎり、わずかにゲーテの『ファウスト』にそれがある。が、ゲーテの「宇宙感情」はやや形而上学的《けいじじょうがく》であり、シェイクスピアほどの生々しさをもってはいない。シェイクスピアの「宇宙感情」はあくまで健康な自然感覚に基くものでありながら、しかもそれを超えている。それゆえ、多くの人はそれを超自然と呼ぶが、むしろそこにシェイクスピアの最も本質的な自然感覚が息づいているのである。やはり「宇宙感情」と名づけるほうが当っているように思われる。悲劇では『リア王』に、喜劇では『あらし』に、それは最高の表現を得ている。が、それは『ハムレット』にも『マクベス』にもある。「四大悲劇」のうち、『オセロー』にだけはそれが乏しい。

アーデン版の『オセロー』の編者リドレーはこう言っている、シェイクスピアの他の悲劇においては、主人公の運命はそのまま彼の属する国家や国民の運命を左右し、したがってその破局のあとでは、かならず新秩序の再建が暗示されて終ると。たとえば『ハムレット』では、主人公の暗い黄泉路《よみじ》めぐりのあとで、新王フォーティンブラスの登場が曙光《しょこう》のように明るい印象を観客に与える。『マクベス』でもマルコムの存在が同様の働きをなしている。その印象は、観客がそこに至るまでの主人公の性格や行動に共感を覚えてきたという心理的事実とは、全く別の次元に属する。私たちは自分の同情する主人公の死にもかかわらず、彼が死によって「情念」という業病から解放されたことに一息つくのである。私たち観客の心理は看病人の心理に似ている。その虚脱の隙《すき》に、新王の登場が微妙な働きをする。ところが、『オセロー』にはそれがない。リドレーは、主人公オセローの運命はヴェニス国家の秩序になんの影響ももたらさないからだと言う。

確にオセローはヴェニス国にとって単なる傭兵《ようへい》隊長に過ぎず、しかも彼の起した事件は私的な家庭悲劇の域を出《い》でない。第一幕第三場において示されたヴェニス国の危機は、偶然によってあっけなく解決され、場面も遠く離島のサイプラスに移って、完全に鎖《とざ》された狭い個人的世界に切換えられてしまう。私たちは終幕のロードヴィーコーの出現に、それまで忘れていたヴェニス国という背後の広い世界を想起させられるだけである。明かにロードヴィーコーはフォーティンブラスやマルコムと同じ劇的役廻りを負わされているのであるが、それは旧秩序に交替する新秩序ではなく、秩序から離れた世界に自分の存在を思出させるために顔を出した秩序なのである。

一口に言えば、『オセロー』は、「四大悲劇」の中ではもちろん、シェイクスピアの他の悲劇と比較して考えても、この作者には珍しい、ほとんど唯一の例外に属する家庭悲劇であるということだ。あるいはそれゆえに、「四大悲劇」として代表作の一つに数えられるに至ったのかもしれない。ほかならぬその世話物的性格のため近代人にも容易に感情移入が出来るせいであろうか、この作品はやや過当な評価が与えられているように私には思われる。

そこから幾つかの誤った解釈が生れる。多くの批評家はオセローよりもイアーゴーに興味を覚える。それは当然のことだ。イアーゴーには近代人の心理に通じるものがある。が、それを過当に買いかぶってはならない。この劇の主人公はイアーゴーであるとする評家も多いが、そこまでゆけば、明かに誤りである。第一に、イアーゴーにはシェイクスピア悲劇の主人公にふさわしい品格がない。ここに品格というのは品性または性格を意味するものではなく、あくまで劇的品格のことである。第二に、当時の悲劇の約束として、少くとも主人公は最後に死なななければならぬのに、イアーゴーは死なない。イアーゴーは決して劇の主人公ではない。『オセロー』劇において最も多くのせりふを与えられ、他の悲劇の主人公と同様に、ほとんど出突《でづ》っぱりに動き廻っているが、彼の劇的役廻りは狂言廻しのそれであり、いわば作者の役割である。したがって、イアーゴーはオセローにとって真の敵であるのにもかかわらず、オセローは最後まで彼を敵と認めず、彼に敵対しない。デズデモーナの裏切についてその真偽を確めようとしないオセローは、同様の意味において、イアーゴーの奸計《かんけい》を少しも疑わないのである。オセローがイアーゴーを疑うということは、『オセロー』劇の作意を作者に問いただすことであり、そうなれば作品のメカニズムは崩壊してしまう。作劇術上、オセローにはそれが禁ぜられている。

そのため、オセローは現代の私たちにとって愚かしく見えはしないか。イアーゴーにたいしてあまりに軽信的でありすぎはしないか。が、そこからもう一つの誤った解釈が生れる。というのは、オセローが黒人あるいはムーア人であるという事実に力点を置きすぎることである。なるほど、そういうオセローの劣等感を強調することによって、イアーゴーに操られる受動性から主人公を救出することが出来る。それはいい。が、オセローの劣等感をすべて黒人の引けめに帰するのは明かに行き過ぎである。その方が辻褄《つじつま》はよく合うだろうが、作品の普遍性は失われる。ウィルソンさえ、その点を警戒しながら、やはりその誤りに陥っているように思われる。ウィルソンは一九三〇年五月十九日にサヴォイ劇場で初日の幕を開けた黒人俳優ポール・ロブソンのオセローを観《み》て、オセローが黒人であるという事実こそ、この劇を完全に理解する鍵《かぎ》であると知ったと書いている。

私もニュー・ヨークで無名の黒人が演じるオセローを観て感動した。その後、ストラトフォードの記念劇場でアンソニー・クウェイルのオセローも観たが、その比ではなかった。が、私が前者に感動したのは、それが黒人によって演ぜられたからではない。それを観ている間、私はその役者が黒人であるということすら意識していなかった。前者が後者より優れていた理由は簡単である。後者がただイアーゴーの奸計に操られる受動的な、したがって愚かでもあり滑稽《こっけい》でもあるオセローであったのに比して、前者には気品があり、優しさがあり、強さがあった。私たち見物には、彼がイアーゴーに欺《あざむ》かれたのだということ、しかも、余りにもたわいのない手続きによって欺かれたのだということ、そういう嫉妬《しっと》の原因が全く気にならなかった。事実が嫉妬に値するかどうか、その必然性があるかどうか、それは問題にならなかった。愚かしいとかたづけられぬ、気品を保った嫉妬の情念が目の前に厳然として存在していた。私たちは否応《いやおう》なくその真実と激しさとを信じなければならなかったのである。

そのことに関聯して、人々の陥りがちなもう一つの誤った解釈に触れておかねばならない。『オセロー』を「嫉妬の悲劇」と見るのがそれである。嫉妬という情念には、確に私たち近代人の市民感情に訴える一般性がある。が、これほど受動的で非生産的な情念はない。それだけでは劇の主題として弱い。それに、ブラッドレーの言っているとおり、オセローの性格は本来嫉妬とは無縁である。彼は疑い深くはない。オセローは妻に嫉妬したのではない。事実を見過ったのである。そのことは多くの評家の直接間接を問わず指摘しているところである。

『オセロー』は「愛の悲劇」である。隙間のない完全な愛が毀《こぼ》たれてゆく過程がその主題である。そこには『ジュリアス・シーザー』から始って最後の悲劇『コリオレイナス』に至るまで、あるいはその後の浪漫劇『シンベリン』や『冬物語』にまで尾を引いている何か救いのない暗いものがある。人はイアーゴーの性格の暗さを言うが、オセローの内心の絶望はそれよりはさらに暗いものであろう。それは悲劇時代のシェイクスピアを捉《とら》えていた、いわば絶望的な人間不信感であろう。が、オセローの絶望は最後に救われる。彼がイアーゴーに欺かれたと知ったとき、デズデモーナは自分を最後まで愛していたのだと知ったとき、つまり自分の過ちを認め、完全に敗北を自覚したとき、オセローは愛の破壊者イアーゴーに勝ったのだ。ブラッドレーは言っている、「オセローは世界の文学作品に現れる最大の愛し手の一人であり、シェイクスピアの作品における最大の愛し手である」と。オセローは最後のせりふに「かつてはどんな悲しみにも滴《しずく》ひとつ宿さなかった乾き切ったその目から、樹液のしたたり落ちる熱帯の木も同様、潸然《さんぜん》と涙を流していた」と、その場の自分について語っているが、そのオセローの涙は「喜びの涙」であったはずだと言うウィルソンの言葉は正しい。「辛抱立役《しんぼうたちやく》」に終始してきたオセローはこの最後のせりふによって、イアーゴーに操られてきた受動性から完全に脱出し、主人公の面目を示すのである。

# 解説

中村保男

オセローはムーアの黒人である。が、ムーア人とは何か。現代の白人の眼《め》に映る者としての黒人と同じような位置を占めていたのか。まずそこから穿鑿《せんさく》してみよう。七世紀に北アフリカのモリタニア地方を征服したアラブ人は、同地の住民を回教に改宗させた。その住民がアラブ人からは「西洋人」と呼ばれていたのに、ヨーロッパ人にはムーア人と称されていたのである。やがてアラブ人はムーア人と混血し、八世紀に入ると、この混血人種の一隊がジブラルタル海峡を渡って、スペイン半島征服を開始し、スペイン人やポルトガル人がこの侵略者をムーア人と呼び、間もなく「ムーア」は「回教徒」と同義になった。その後、北アフリカの回教徒全部がスペイン人にムーアと呼ばれるようになり、くだって十五世紀末にポルトガル人が喜望峰を回って航海を始め、東アフリカやアジアの沿岸でアラブ人と出くわすようになっても、そのアラブ人を彼らはムーアと呼びつづけたのである。

このように、ムーア人という呼称には、元は奴隷《どれい》であったのがのちに解放された現代の黒人とはかなり違った意味があり、従って、オセローの肌《はだ》が黒いからと言って彼を現代の黒人と同一視してしまうのは早計である。ましてや、彼が黒人ゆえの劣等感にさいなまれていて、それでイアーゴーの奸策《かんさく》の好餌《こうじ》になったのだと断じるのは全く見当違いだと言わねばならない。実際、テクストのどこにも、オセローの肌は黒いというせりふはあっても、人種的な差別や偏見が語られている所は見あたらぬのだ。かりに肌が黒いということが一つのひけ目であったとしても、オセローは若い時から戦に明け暮れて戦功をたてることしか考えなかった武人であり、今は大成して、押しも押されぬ武将となっている。将軍としての自信も大したもので、それは彼の言動の端々にも窺《うかが》える。「閃《ひらめ》く剣を鞘《さや》におさめろ、夜露で錆《さ》びる」というあの有名な一行の美しいせりふの中にも、武将としての自信と権威と尊厳がはしなくもにじみ出ているのである。福田氏も含めて多くの評者が書いているように、オセローには、ハムレットやマクベスのような内省力、想像力が欠けているのであるが、それもオセローの外向的で直情径行的な性格と、それこそ決断と実行を尊ばねばならぬ武人としての生いたちとによるものなのだ。

オセローは、私たちに彼の肌の黒さをすっかり忘れさせるほど堂々たる武人なのであり、いくらイアーゴーやブラバンショーがその肌の黒さを揶揄《やゆ》し、いかほどイアーゴーがオセロー夫妻を淫《みだ》らなイメージ(「劫《こう》を経た黒羊があなたの白羊の上に乗りかかっている」など)で塗り潰《つぶ》そうとも、それを超えるだけの尊厳を彼は有しているのであり、それゆえにこそ、彼の、一見してたわいのないきっかけに基づく身の破滅が痛切な悲劇性を帯びてくるのである。

私の学生時代に、まだ教壇に立っていた中野好夫氏が、オセローに惚《ほ》れるデズデモーナは進駐軍の将兵と同棲《どうせい》する日本女性のようなもの、と語ったが、なるほど彼女がオセローになびいたきっかけには、エキゾチシズムへの憧《あこが》れのようなものがあったことは確かだ。が、それは単なるきっかけであり、彼女のオセローへの感情は、素朴《そぼく》な純愛そのものであり、彼女は全く欲得ぬきでオセローを愛し、信じきっており、彼にすべてを託している従順な妻なのだ。まことにシェイクスピアは偉大である。肌の黒いムーア人と白人女性の結婚、それも進駐軍将兵の「オンリー」さんに比較されさえする立場にある女との結婚、という設定から、一つの理想的な夫婦愛を描き出し、そうしておいてから一転して、この文字どおり純情で世間知らずの夫婦の、一分の隙《すき》もない親密な仲に徐々にひびを入れさせ、遂《つい》にはそれを大きく引き裂くばかりか、両人を死に追いやりさえする状況を描き出すのだ。

この状況を演出するのは、むろん、名うての悪玉イアーゴーである。彼は、あれだけの大人物オセローを手玉にとるということで、時にはこの劇の主人公に祀《まつ》りあげられているが、この劇はその題名のとおりオセローがあくまでもヒーローなのであり、イアーゴーはいわば作劇上の道具にすぎない。が、それだからと言って、F・R・リーヴィスのように「イアーゴーの奸計が短時日で成功するという事実に、私たちはイアーゴーの悪魔的な知力を見るべきではなく、むしろオセローがみずからそれに反応したがっている、と考えるべきであり……つまり裏切り者は実はオセロー自身だったのだ」と結論するのは速断に過ぎる。たしかに、デズデモーナが死んだのちイアーゴーはエミリアに「思ったとおりを申しあげただけだ。将軍御自身、ありそうなことだ、とお考えになっていたこと以外、おれは何も言わぬ」と弁解してはいる。これを客観的な、作者の言葉と受けとれば、リーヴィスの言うとおりイアーゴーはオセローの心の影法師にすぎぬということになるのだが、しかしこれはあくまでもイアーゴーのせりふなのであり、彼のオセロー観を語っているにすぎぬのだ。イアーゴーをいわばオセローの分身と見るリーヴィスの観点は、何よりも『オセロー』劇のリアリティーを稀薄《きはく》にしてしまうという欠点を有しているのである。

なるほど、オセローとイアーゴーの間には、結末に至るまで、対決が見られない。

前者は後者に引きずられっぱなしなのだ。が、その一方性にもかかわらず、両者の対比はくっきりと浮き彫りにされている。片やイアーゴーは、世智《せち》に長《た》け、悪智恵のよく働く利口者であり、やはり悪玉のリチャード三世にも似て、機智に富んだ軽口をよく叩《たた》く剽軽者《ひょうきんもの》でもあり（その点、彼は殆《ほとん》ど道化の登場しないこの劇で道化の役も十二分に果している）、人を説得するのにも見事なレトリックを駆使し（たとえば「いよいよ、おれがお役にたつ時が来たのさ。財布に金を入れておくのだぞ、さあ、戦争を追いかけたり、附《つ》けひげで変装してな。いいか、財布に金を入れておけ。……デズデモーナがいつまでムーア人に惚れていられるものか――財布に金を入れておけ……」の巧みなリフレイン）そして臨機応変の身の処し方も、悪ながら天晴《あっぱ》れと言うしかない。それにたいし片やオセローは、「誠実な」（この言葉は何十回も出て来る）イアーゴーを信じきっていて、彼の奸計にはまり込むや、妻への猜疑《さいぎ》を深めるだけで、たまにエミリアに妻の不貞の真偽を問い質《ただ》しても一向に相手の言葉を信じようとせず、すでに潜在意識に根を下ろしてしまった疑心は小ゆるぎもしない。こういうオセローは、ことにイアーゴーと較《くら》べると全く愚かに見える。が、そこには、ひたむきさがある。一度疑いかけたらとことんまで疑うという一途《いちず》なところがあるのだ。

もっとも、この猜疑には一つの下地というか伏線がある。娘をオセローに奪われたと知ったブラバンショーが吐く棄《す》てぜりふ「その女に気をつけるがよいぞ、ムーア殿、目があるならばな。父親をたばかりおおせた女だ、やがては亭主もな」がそれであり、この劇的アイロニーは、イアーゴーの奸策そのものよりもなおオセローの心にたえず毒を注ぎ込んでいたのではないかとさえ思われる。

武将としてのオセローの高潔さは、彼が妻を殺す際にも強く彼の心に働きかける。彼は最も個人的な行為をしようとするときにも、名誉や正義といったものを考えずにはいられず、愛《いと》しい妻を殺さねばならぬことに涙を流しながらも「だが、おれのは厳しい裁きの涙なのだ」と独白せずにはおれず、妻がキャシオーなどに心を寄せたことはないと弁明すると、「ああ、そうしてあくまで白を切ろうというのか！……このおれをただの人殺しにしてしまおうというのだな、愛の生贄を捧げるつもりのこのおれを」と叫びさえする。彼は自分一個の悲劇を何か普遍的なものとして見なくては気がすまないのだ。

例はほかにもある。もっと前の場面で彼は「口惜《くや》しいのだ、イアーゴー！……おれは口惜しいのだ」と言うが、この「口惜しい」は原文では〈the pity of it〉であり、主語の「おれ」は出て来ない。つまり彼は非個人的、祭儀的に「それが憐《あわ》れなのだ」と歎《なげ》いているのであり、さらに別の所でも彼は「立て、どす黒き復讐《ふくしゅう》の鬼、地獄の洞《どう》窟《くつ》から姿を現わせ！……」と言う。ここでも、おれがこの手で復讐してやる、ではなく、おれが復讐そのものとなる、というわけなのである。

オセローは最後の場面で「しばらくお待ちを。行かれる前に、一、二、申しあげたいことが。これでも、お国のためには、多少のお役に立ったこともある、……ただどうしてもお伝えいただきたいのは、愛することを知らずして愛しすぎた男の身の上、めったに猜疑《さいぎ》に身を委《ゆだ》ねはせぬが、悪だくみにあって、すっかり取りみだしてしまった一人の男の物語。……」と語るが、T・S・エリオットはこの個所を評して、「オセローはこのせりふを述べながら自分を励ましているのであり、現実から逃避しようとしているのであって、もはやデズデモーナのことも忘れ、自分のことだけしか考えていないのだ。……オセローの態度は、最後の瞬間には、倫理的であるよりはむしろ美的であった。つまり彼は自分を悲壮な人物に仕立てあげようとして、それに成功したのであり、そのためには、環境を材料にして自己劇化を試みねばならなかったのだ」と書いている。この「自己劇化」が先に私の述べた「普遍化」に通じるものであることは言うまでもあるまい。そして、この自己劇化あるいは自己非個人化は、オセローがロマンティックな理想主義者であったことを示すものにほかならず、いささかの向上心ももたぬ現実主義者イアーゴーとの対比はここで最も際《きわ》だつのである。

オセローは、少なくともシェイクスピアは、この劇において愛の殺人の聖化、祭儀化を試みてそれに成功したのである。

シェイクスピア悲劇の主人公は、マクベスを除けば、少なくとも最期《さいご》には身の証《あか》しを立てようとして自己劇化を試みる。そうしなくては、やりきれないのだ。「従容《しょうよう》として」死に赴くという言葉がある。が、ハムレットやオセローはいわばもだえ死ぬ。そこに人間の最後のあがきがある。彼らは必死になってこの世に「爪跡《つめあと》」を残そうとしているのだ。（引用文の傍点筆者）

（一九七三年二月、英文学者）

本作品中には、今日の観点からみると差別的表現ととられかねない箇所が散見しますが、作品自体のもつ文学性ならびに芸術性、また訳者がすでに故人であるという事情に鑑み、原文どおりとしました。

（新潮文庫編集部）

シェイクスピア
中野好夫訳
ロミオとジュリエット
仇敵同士の家に生れたロミオとジュリエット。その運命的な出会いと、永遠の愛を誓いあったのも束の間に迎えた不幸な結末。恋愛悲劇。

シェイクスピア
福田恆存訳
ハムレット
シェイクスピア悲劇の最高傑作。父王の亡霊からその死の真相を聞いたハムレットが、深い懐疑に囚われながら遂に復讐をとげる物語。

シェイクスピア
福田恆存訳
ヴェニスの商人
胸の肉一ポンドを担保に、高利貸しシャイロックから友人のための借金をしたアントニオ。美しい水の都にくりひろげられる名作喜劇。

シェイクスピア
福田恆存訳
リア王
純真な末娘より、二人の姉娘の甘言を信じ、すべての権力と財産を引渡したリア王は、やがて裏切られ嵐の荒野へと放逐される……。

シェイクスピア
福田恆存訳
ジュリアス・シーザー
政治の理想に忠実であろうと、ローマの君主シーザーを刺したブルータス。それを弾劾するアントニーの演説は、ローマを動揺させた。

シェイクスピア
福田恆存訳
マクベス
三人の魔女の奇妙な予言と妻の教唆によってダンカン王を殺し即位したマクベスの非業の死！　緊迫感にみちたシェイクスピア悲劇。

シェイクスピア
福田恆存訳

## 夏の夜の夢・あらし

妖精のいたずらに迷わされる恋人たちが月夜の森にくりひろげる幻想喜劇「夏の夜の夢」、調和と和解の世界を描く最後の傑作「あらし」。

シェイクスピア
福田恆存訳

## じゃじゃ馬ならし・空騒ぎ

パデュアの街に展開される楽しい恋のかけひき「じゃじゃ馬ならし」。知事の娘の婚礼前夜に起った大騒動「空騒ぎ」。機知舌戦の二喜劇。

シェイクスピア
福田恆存訳

## アントニーとクレオパトラ

シーザー亡きあと、ローマ帝国独裁の野望を秘めながら、エジプトの女王クレオパトラと恋におちたアントニー。情熱にみちた悲劇。

シェイクスピア
福田恆存訳

## リチャード三世

あらゆる権謀術数を駆使して王位を狙う魔性の君主リチャード――薔薇戦争を背景に偽善と偽悪をこえた近代的悪人像を確立した史劇。

シェイクスピア
福田恆存訳

## お気に召すまま

美しいアーデンの森の中で、幾組もの恋人たちが展開するさまざまな恋。牧歌的抒情と巧みな演劇手法がみごとに融和した浪漫喜劇。

T・ウィリアムズ
小田島雄志訳

## 欲望という名の電車

ニューオーリアンズの妹夫婦に身を寄せたブランチ。美を求めて現実の前に敗北する女を、粗野で逞しい妹夫婦と対比させて描く名作。

ゲーテ
高橋義孝訳
若きウェルテルの悩み
ゲーテ自身の絶望的な恋の体験を作品化した書簡体小説。許婚者のいる女性ロッテを恋したウェルテルの苦悩と煩悶を描く古典的名作。

ゲーテ
高橋義孝訳
ファウスト（一・二）
悪魔メフィストーフェレスと魂を賭けた契約をして、充たされた人生を体験しつくそうとするファウスト――文豪が生涯をかけた大作。

高橋健二訳
ゲーテ詩集
人間性への深い信頼に支えられ、世界文学史上に不滅の名をとどめるゲーテの、抒情詩を中心に代表的な作品を年代順に選んだ詩集。

高橋健二編訳
ゲーテ格言集
偉大な文豪であり、人間的な魅力にもあふれるゲーテ。深い知性と愛情に裏付けられた言葉の宝庫から親しみやすい警句、格言を収集。

T・マン
高橋義孝訳
トニオ・クレーゲル
ヴェニスに死す
ノーベル文学賞受賞
美と倫理、感性と理性、感情と思想のように相反する二つの力の板ばさみになった芸術家の苦悩と、芸術を求める生を描く初期作品集。

T・マン
高橋義孝訳
魔の山（上・下）
死と病苦、無為と頽廃の支配する高原療養所で療養する青年カストルプの体験を通して、生と死の谷間を彷徨する人々の苦闘を描く。

ワイルド
福田恆存訳
**ドリアン・グレイの肖像**

快楽主義者ヘンリー卿の感化で背徳の生活にふける美青年ドリアン。彼の重ねる罪悪はすべて肖像に現われ次第に醜く変っていく……。

ワイルド
西村孝次訳
**サロメ・ウィンダミア卿夫人の扇**

月の妖しく美しい夜、ユダヤ王ヘロデの王宮に死を賭したサロメの乱舞――怪奇と幻想の「サロメ」等、著者の才能が発揮された戯曲集。

ワイルド
西村孝次訳
**幸福な王子**

死の悲しみにまさる愛の美しさを高らかに謳いあげた名作「幸福な王子」。大きな人間愛にあふれ、著者独特の諷刺をきかせた作品集。

ジョイス
柳瀬尚紀訳
**ダブリナーズ**

20世紀を代表する作家がダブリンに住む人々を描いた15編。『フィネガンズ・ウェイク』の訳者による画期的新訳。『ダブリン市民』改題。

H・ジェイムズ
西川正身訳
**デイジー・ミラー**

全てに開放的なヤンキー娘デイジーと、その行動にとまどう青年との淡い恋を軸に、新旧二つの大陸に横たわる文化の相違を写し出す。

H・ジェイムズ
小川高義訳
**ねじの回転**

イギリスの片田舎の貴族屋敷に身を寄せる兄妹。二人の家庭教師として雇われた若い女が語る幽霊譚。本当に幽霊は存在したのか？

ディケンズ
加賀山卓朗訳

# 大いなる遺産（上・下）

莫大な遺産の相続人となったことで運命が変転する少年。ユーモアあり、ミステリーあり、感動あり、英文学を代表する名作を新訳！

ディケンズ
加賀山卓朗訳

# 二都物語

フランス革命下のパリとロンドン。燃え上がる激動の炎の中で、二つの都に繰り広げられる愛と死のロマン。新訳で贈る永遠の名作。

ディケンズ
村岡花子訳

# クリスマス・キャロル

貧しいけれど心の暖かい人々、孤独で寂しい自分の未来……亡霊たちに見せられた光景が、ケチで冷酷なスクルージの心を変えさせた。

ディケンズ
中野好夫訳

# デイヴィッド・コパフィールド（一〜四）

逆境にあっても人間への信頼を失わず、作家として大成したデイヴィッドと彼をめぐる精彩にみちた人間群像！　英文豪の自伝的長編。

ディケンズ
加賀山卓朗訳

# オリヴァー・ツイスト

オリヴァー8歳。窃盗団に入りながらも純粋な心を失わず、ロンドンの街を生き抜く孤児の命運を描いた、ディケンズ初期の傑作。

D・デフォー
鈴木　恵　訳

# ロビンソン・クルーソー

無人島に28年。孤独でも失敗しても、決してめげない男ロビンソン。世界中の読者に勇気を与えてきた冒険文学の金字塔。待望の新訳。

スタンダール
大岡昇平訳
パルムの僧院（上・下）
〝幸福の追求〟に生命を賭ける情熱的な青年貴族ファブリスが、愛する人の死によって僧院に入るまでの波瀾万丈の半生を描いた傑作。

スタンダール
小林　正訳
赤と黒（上・下）
美貌で、強い自尊心と鋭い感受性をもつジュリヤン・ソレルが、長年の夢であった地位をその手で摑もうとした時、無惨な破局が……。

スタンダール
大岡昇平訳
恋愛論
豊富な恋愛体験をもとにすべての恋愛を「情熱恋愛」「趣味恋愛」「肉体的恋愛」「虚栄恋愛」に分類し、各国各時代の恋愛について語る。

ジッド
山内義雄訳
狭き門
地上の恋を捨て天上の愛に生きるアリサ。死後、残された日記には、従弟ジェロームへの想いと神の道への苦悩が記されていた……。

ジッド
神西　清訳
田園交響楽
彼女はなぜ自殺したのか？　待ち望んでいた手術が成功して眼が見えるようになったのに。盲目の少女と牧師一家の精神の葛藤を描く。

J・ジュネ
朝吹三吉訳
泥棒日記
倒錯の性、裏切り、盗み、乞食……前半生を牢獄におくり、言語の力によって現実世界の価値を全て転倒させたジュネの自伝的長編。

トルストイ
木村浩訳
アンナ・カレーニナ（上・中・下）

文豪トルストイが全力を注いで完成させた不朽の名作。美貌のアンナが真実の愛を求めるがゆえに破局への道をたどる壮大なロマン。

トルストイ
原卓也訳
クロイツェル・ソナタ
悪魔

性的欲望こそ人間生活のさまざまな悪や不幸の源であるとして、性に関する極めてストイックな考えと絶対的な純潔の理想を示す2編。

トルストイ
原久一郎訳
光あるうち光の中を歩め

古代キリスト教世界に生きるパンフィリウスと俗世間にどっぷり漬った豪商ユリウス。二人の人物に著者晩年の思想を吐露した名作。

トルストイ
工藤精一郎訳
戦争と平和（一〜四）

ナポレオンのロシア侵攻を歴史背景に、十九世紀初頭の貴族社会と民衆のありさまを生き生きと写して世界文学の最高峰をなす名作。

トルストイ
原卓也訳
人生論

人間はいかに生きるべきか？　人間を導く真理とは？　トルストイの永遠の問いをみごとに結実させた、人生についての内面的考察。

トルストイ
木村浩訳
復活（上・下）

青年貴族ネフリュードフと薄幸の少女カチューシャの数奇な運命の中に人間精神の復活を描き出し、当時の社会を痛烈に批判した大作。

ニーチェ
竹山道雄訳
ツァラトストラかく語りき（上・下）

ついに神は死んだ――ツァラトストラが超人へと高まりゆく内的過程を追いながら、永劫回帰の思想を語った律動感にあふれる名著。

ニーチェ
竹山道雄訳
善悪の彼岸

「世界は不条理であり、生命は自立した倫理をもつべきだ」と説く著者が既成の道徳観念と十九世紀後半の西欧精神を批判した代表作。

フロイト
高橋義孝訳
夢判断（上・下）

日常生活において無意識に抑圧されている欲求と夢との関係を分析、実例を示して詳しく解説することによって人間心理を探る名著。

フロイト
高橋義孝
下坂幸三訳
精神分析入門（上・下）

自由連想という画期的方法による精神分析の創始者がウィーン大学で行なった講義の記録。フロイト理論を理解するために絶好の手引き。

プラトーン
田中美知太郎
池田美恵訳
ソークラテースの弁明・クリトーン・パイドーン

不敬の罪を負って法廷に立つ師の弁明「ソークラテースの弁明」。脱獄の勧めを退けて国法に従う師を描く「クリトーン」など三名著。

プラトーン
森進一訳
饗宴

酒席の仲間たちが愛の神エロースを讃美する即興演説を行い、肉体的愛から、美のイデアの愛を謳う……。プラトーン対話の最高傑作。

Title : OTHELLO
Author : William Shakespeare

# オセロー

新潮文庫　シ－1－2

昭和四十八年六月三十日発行
平成二十三年九月十五日六十二刷改版
令和七年三月二十五日七十二刷

訳者　福《ふく》田《だ》恆《つね》存《あり》
発行者　佐藤隆信
発行所　株式会社　新潮社
郵便番号　一六二―八七一一
東京都新宿区矢来町七一
電話　編集部(〇三)三二六六―五四四〇
読者係(〇三)三二六六―五一一一
https://www.shinchosha.co.jp

価格はカバーに表示してあります。

乱丁・落丁本は、ご面倒ですが小社読者係宛ご送付ください。送料小社負担にてお取替えいたします。

印刷・株式会社光邦　製本・株式会社大進堂

ISBN978-4-10-202002-9 C0197